《老照片》

溫情系列・《老照片》編輯部編

JPC HK

不管遠近，只想寫封信，
送給親愛的。

一封家書

責任編輯　許正旺
書籍設計　張惠沅

書　　名　一封家書
編　　者　《老照片》編輯部
出　　版　三聯書店（香港）有限公司
香港北角英皇道四九九號北角工業大廈二十樓
Joint Publishing (H.K.) Co., Ltd.
20/F., North Point Industrial Building,
499 King's Road, North Point, Hong Kong
香港發行　香港聯合書刊物流有限公司
香港新界大埔汀麗路三十六號三字樓
印　　刷　美雅印刷製本有限公司
香港九龍觀塘榮業街六號四樓A室
版　　次　二〇一九年九月香港第一版第一次印刷
規　　格　大三十二開（140 × 210 mm）二〇〇面
國際書號　ISBN 978-962-04-4404-3

出版說明

「老照片」叢書以「定格歷史、收藏記憶」為旨，引導讀者從照片與相關文字回望歷史；藉獨特的視角，為至今逾百年來中國人民的生活，存留一份溫暖而鮮活的記錄。即使經歷社會變遷，讀者仍能感受箇中細膩的家國情懷。

「老照片：溫情系列」一套共有四種：《我的父親》、《我的母親》、《我的老師》，和《一封家書》。《一封家書》與其他三本不同之處，在於眾筆者的文字為重，藉著書寫家書，表達自身對收信人的思念和感情。本書共收錄四十六篇文章，寄信人縱有感慨萬千，文筆仍然愛恨分明，真摯動人。本書亦收錄名家之作，有梁啟超、陶行知、傅雷、豐子愷、老舍等。

為著尊重原作者，不論原文的編註、補充及改正之處，均維持文章原貌，不作出大幅改動。若內容有誤，或需補充資料之處，僅以註釋形式作校正處理；另於書信原文中的錯字、漏字加〔〕號，衍字加【】號，不致妨礙讀者欣賞文章，共同為美好的回憶致敬。

三聯書店（香港）有限公司
出版部
二〇一九年八月

目錄

梁啟超寫給兒女們的信　梁啟超　1
陶行知寫給兒子陶曉光的信　陶行知　10
做人要做最上等的人　胡適　12
給孩子們的信　豐子愷　15
老舍寫給家人的信　老舍　19
傅雷寫給兒子傅聰的信　傅雷　21
給兒子的兩封信　林薇　24
給兒子的信　謝君任　29
做個快樂的讀書人　劉墉　32
爸爸願意哄著你長大　曹文軒　35

兩百年後的世界 劉慈欣 38
一支煙的故事 畢飛宇 42
把生命浪費在美好的事物上 吳曉波 46
姥姥的信 楊瑞興 51
給我未來的孩子 張梅 54
其實爸媽也是裝的 鄭國強 57
給剛入大學的女兒九條忠告 吳輝 66
記住陌生人的好 唐池子 72
親愛的女兒 娜彧 78
孩子，在每個年齡做該做的事情就很好 邴琴 81
一位父親給女兒的最後一封信 邱文周 85
張大千家書 張大千 88
冼星海寫給母親的信 冼星海 91

有你們，中國是不會亡的　蕭紅　95
不幸我是個女孩，更不幸是個演戲的　袁雪芬　102
美人娘　吳霜　106
對於文學，我從小就比較愛好　裘山山　111
一封家書　張兵　115
給父母補寄的一封信　馮傑　119
世事皆可原諒　青青　122
媽媽，姥姥替你陪著我呢　王馨漪　128
親愛的阿爸　王曉佳　132
兩地書　魯迅　135
許地山寫給妻子周俟松的信　許地山　139
我從沒有這樣地愛過人　郁達夫　143
我的肝腸寸寸地斷了　徐志摩　147

我要往前走　陸小曼　151
蔣光慈寫給戀人宋若瑜的信　蔣光慈　154
小船上的信　沈從文　157
不只是喜歡而已　朱生豪　162
美國家書（一九八七年）　汪曾祺　167
胡孟晉寫給妻子張惠的信　胡孟晉　170
家書二封　徐前　173
燒掉的情書，今天補給你好嗎？　張慶和　177
那樣的溝通我們都有過　華靜　182
近在咫尺不能相見的愛情　曾劍　186

梁啟超寫給兒女們的信

梁啟超

孩子們：

我像許久沒有寫信給你們了。但是前幾天寄去的相片，每張上都有一首詞，也抵得過信了。今天接著大寶貝五月九日，小寶貝五月三日來信，很高興。那兩位「不甚寶貝」的信，也許明後天就到罷？我本來前十天就去北戴河，因天氣很涼，索性等達達放假才去。他明天放假了，卻是現在很涼。一面張、馮開戰消息甚緊，你們二叔和好些朋友都勸勿去，現在去不去還未定呢。

我還是照樣的忙，近來和阿時、忠忠三個人合作做點小玩意兒，把他們做得興高采烈。我們的工作多則一個月，少則三個禮拜，便做完。做完了，你們也可以享受快樂。你們猜猜幹些什麼？

莊莊，你的信寫許多有趣話告訴我，我喜歡極了。你往後只要每次船都有信，零零碎碎把你的日常生活和感想報告我，我總是喜歡的。我說你「別要孩子氣」，這是叫你對於正事——如做功課，以及料理自己本身各事等——自己要拿主意，不要依賴人。至於做人帶幾分孩子氣，原是好的。你看爹爹有時還「有童心」呢。你入學校，還是在加拿大好。你三個哥哥都受美國教

1 （左下）梁啟超攜林徽因與梁思莊遊覽長城時合影

2 （右上）梁啟超（中）與梁思永（右）、梁思達（左）於 20 世紀 20 年代合影。

育，我們家庭要變「美國化」了！

我很望你將來不經過美國這一級，也並非一定如此，還要看環境的利便，便到歐洲去，所以在加拿大預備像更好。稍舊一點的嚴正教育，受了很有益，你還是安心入加校罷。至於未能立進大學，這有什麼要緊，「求學問不是求文憑」，總要把牆基越築得厚越好。你若看見別的同學都入大學，便自己著急，那便是「孩子氣」了。

思順對於徽音（因）感情完全恢復，我聽見真高興極了。這是思成一生幸福關鍵所在，我幾個月前很怕思成因此生出精神異動，毀掉了這孩子，現在我完全放心了。思成前次給思順的信說：「感覺著做錯多少事，便受多少懲罰，非受完了不會轉過來。」這是宇宙間惟一真理，佛教說的「業」和「報」就是這個真理，我篤信佛教，就在此點，七千卷《大藏經》也只說明這點道理。凡自己造過的「業」，無論為善為惡，自己總要受「報」，一斤報一斤，一兩報一兩，絲毫不能躲閃，而且善和惡是不准抵消的。

佛對一般人說輪迴，說他佛自己也曾犯過什麼罪，因此曾入過某層地獄，做過某種畜生，他自己又也曾做過許多好事，所以亦也曾享過什麼福。……如此，惡業受完了報，才算善業的賬，若使正在享善業的報的時候，又做些惡業，善報受完了，又算惡業的賬，並非有個什麼上帝做主宰，全是「自業自得」，又並不是像耶教說的「到世界末日算總賬」，全是「隨作隨受」。又不是像耶教說的「多大罪惡一懺悔便完事」，懺悔後固然得好處，但曾經造過的惡業，並不因懺悔而滅，是要等「報」受完了才滅。佛教所說的精理，大略如此。他說的六道輪迴等等，不過為一般淺人說法，說些有形的天堂地獄，其實我們刻刻在輪迴中，一生不知經過多少天堂地獄。

即如思成和徽音（因），去年便有幾個月在刀山劍樹上過活！這種地獄比城隍廟十王殿裡畫出來【的】還可怕，因為一時造錯了一點業，便受如此慘報，非受完了不會轉頭。倘若這業是故意造的，而且不知懺悔，則受報連綿下去，無有盡時。因為不是故意的，而且懺悔後又造惡業，所以地獄的報受夠之後，天堂又到了。若能絕對不造惡業而且常造善業——最大善業是「利他」，則常住天堂——這是借用俗教名詞。佛說是「涅槃」，涅槃的本意是「清涼世界」。我雖不敢說常住涅槃，但我總算心地清涼的時候多，換句話說，我住天堂時候比住地獄的時候多，也是因為我比較的少造惡業的緣故。我的宗教觀、人生觀的根本在此，這些話都是我切實受用的所在。因思成那封信像是看見一點這種真理，所以順便給你們談談。

思成看著許多本國古代美術，真是眼福，令我羨慕不已，甲冑的扣帶，我看來總算你新發明了（可得獎賞）。或者書中有講及，但久已沒有實物來證明。昭陵石馬怎麼會已經流到美國去，真令我大驚？？那幾隻馬是有名的美術品，唐詩裡「可要昭陵石馬來」，「昭陵風雨埋冠劍，石馬無聲蔓草寒」，[1]向來詩人謳歌不知多少。那些馬都有名字——是唐太宗賜的名，畫家、雕刻家都有名字可考據的。我所知道的，現在還存四隻，（我們家裡藏有拓片，但太大，無從裱，無從掛，所以你們沒有看見）怎麼美國人會把它搬走了。若在別國，新聞紙不知若何鼓噪，在我們國裡，連我恁麼一個人，若非接你信，還連影子都不曉得呢。可歎，可歎！

希哲（周希哲，梁啟超女婿）既有餘暇做學問，我很希望他將國際法重新研究一番，因為歐戰以後國際法的內容和從前差得太遠了。十餘年前所學現在只好算古董，既已當外交官，便要跟著潮流求自己職務上的新知識。還有中國和各國的條約全文，也須切實研究。希哲能趁這個空閒做這類學問最好。若要漢文的條約匯纂，我可以買得寄來。和思順、思永兩人特別要說的話，沒有什麼，下次再說罷。

思順信說：「不能不管政治。」近來我們也很有這種感覺。你們動身前一個月，多人擬議也就是這種心理的表現。現在除我們最親密的朋友外，多數穩健分子也都拿這些話責備我，看來早晚是不能袖手的。現在打起精神做些預備工夫，這幾年來拋空了許久，有點吃虧，等著時局變遷再說罷。

……

老baby好玩極了，從沒有聽見哭過一聲，但整天的喊和笑，也很夠他的肺開張了。自從給親家收拾之後，每天總睡十三、十四個鐘頭，一到八點鐘，什麼人抱他，他都不要，一抱他，他便橫過來表示他要睡，放在床上爬幾爬，滾幾滾，就睡著了。這幾天有點可怕——好咬人，借來磨他的新牙，老郭（保姆）每天總要著他幾口，他雖然還不會叫親家，卻是會填詞送給親家，我問他：「是不是要親家和你一首？」他說：「得得得，對對對。」夜深了，不和你們玩了，睡覺去。

前幾天填得一首詞，詞中的寄託，你們看得出來不？

浣溪沙・端午後一日夜坐

乍有官蛙鬧曲池；
更堪鳴砌露蛩悲！
隔林辜負月如眉。
坐久漏簽催倦夜，
歸來長簟夢佳期。
不因無益廢相思。❷

爹爹（一九二五年）七月十日

梁啟超寫給兒子梁思成的信

思成再留美一年，轉學歐洲一年，然後歸來最好。關於思成學業，我有點意見。思成所學太專門了，我願意你趁畢業後一兩年，分出點光陰多學些常識，尤其是文學或人文科學中之某部門，稍微多用點功夫。我怕你因所學太專門之故，把生活也弄成近於單調，太單調的生活，容易厭倦，厭倦即為苦惱，乃至墮落之根源。再者，一個人想要交友取益，或讀書取益，也要方面稍多，才有接談交換，或開卷引進的機會。不獨朋友而已，即如在家庭裡頭，像你有我這樣一位爹爹，也屬人生難逢的幸福，若你的學問興味太過單調，將來也會和我相對詞竭，不能領著我的教訓，你全生活中本來應享的樂趣，也削減不少了。

我是學問趣味方面極多的人，我之所以不能專積有成者在此，然而我的生活內容，異常豐富，能夠永久保持不厭不倦的精神，亦未始不在此。我每歷若干時候，趣味轉過新方面，便覺得像換個新生命，如朝旭升天，如新荷出水，我自覺這種生活是極可愛的，極有價值的。我雖不願你們學我那氾濫無歸的短處，但最少也想你們參採我那爛漫向榮的長處（這封信你們留著，也算我自作的小小像贊）。

我這兩年來對於我的思成，不知何故常常像有異兆的感覺，怕他漸漸會走入孤峭冷僻一路去。我希望你回來見我時，還我一個三四年前活潑有春氣的孩子，我就心滿意足了。這種境界，固然關係人格修養之全部，但學業上之薰染陶熔，影響亦非小。因為我們做學問的人，學業便佔卻全生活之主要部分。學業內容之充實擴大，與生命內容之充實擴大成正比例。所以我想醫你的病，或預防你的病，不能不注意及此。這些話許久要和你講，因為你沒有畢業以前，要注重你的專門，不願你分心，現在機會到了，不能不慎重和你說。你看了這信，意見如何（徽音〔因〕意思如何），無論校課如何忙迫，是必要回我一封稍長的信，令我安心。

一九二七年八月二十九日

註釋

❶「可要」句出自李商隱《復京》，「昭陵」句出自薛逢《漢武宮辭》（原句：茂陵煙雨埋弓劍，石瑪無聲蔓草寒）。

❷此句化用李商隱（字義山）詩《無題·重幃深下莫愁堂》之「直道相思了無益」句。

3 梁思成獨照

4 1927 年，梁思成和林徽因結婚照。

陶行知寫給兒子陶曉光的信

陶行知

曉光：

最近聽說馬肖生寄了一張證明書給你。他擅自做主，沒有經我看過，我不放心。故即於當晚電你將該件寄回，以便審核有無錯誤，深信你已經遵電照辦。現恐你急需文件證明，特由我親自寫了一張，附於信內寄你，你可根據這樣證明，找尚達弟力保。我們必須堅持「寧為真白丁，不作假秀才」之主張進行。倘使這樣真實的證明不合用，寧可自己出錢，不拿薪水，幫助國家工作，同時從尚達弟及各位學術專家學習。萬一竟因證明不合傳統，而連這樣的工作學習亦被取消，那末，你還是回到重慶。這裡有金大電機工程，也許可去，或於陳景唐兄商量，考成都金大。總之，「追求真理做真人」，不可絲毫妥協。萬一金大也不能進，我願籌集專款，幫助你建立實驗室，決不向虛偽的社會學習與妥協。你記得這七個字，終身受用無窮，望你必須努力朝這方面修養，方是真學問。育才有戲劇、繪畫兩組駐渝見習，進步甚快。

行知

一九四一年一月二十五日

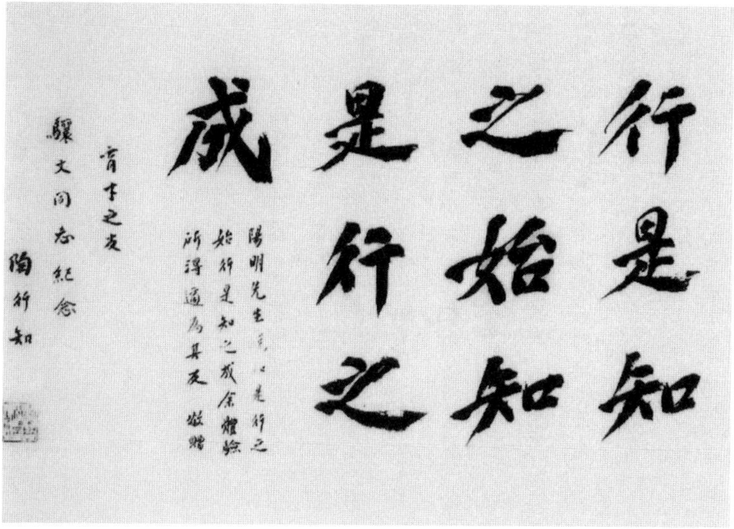

1 陶行知手跡：「行是知之始，知是行之成。」

做人要做最上等的人

胡適

祖望：

你這麼小小年紀，就離開家庭，你媽和我都很難過。但我們為你想，離開家庭是最好辦法。第一使你操練獨立的生活；第二使你操練合群的生活；第三使你自己感覺用功的必要。自己能照應自己，服事自己，這是獨立的生活。飲食要自己照管，冷暖要自己知道。最要緊的是做事要自己負責任。你工（功）課做得好，是你自己的光榮；你做錯了事，學堂記你的過，懲罰你，是你自己的羞恥。做得好，是你自己負責任。做得不好，也是你自己負責任。這是你自己獨立做人的第一天，你要凡事小心。

你現在要和幾百人同學了，不能不想想怎樣可以同別人合得來，人同人相處，這是合群的生活。你要做自己的事，但不可妨害別人的事。你要愛護自己，但不可妨害別人。能幫助別人，須要盡力幫助人，但不可幫助別人做壞事。如幫人作弊，幫人犯規則，都是幫人做壞事，千萬不可做。

合群有一條基本規則，就是時時要替別人想想，時時要想想：「假使我做了他，我應該怎樣？」「我受不了的，他能受得了嗎？我不願意的，他願意嗎？」你能這樣想，便是好孩子。

你不是笨人，工〔功〕課應該做得好。但你要知道世上比你聰明的人多得很。你若不用功，成績一定落後。工〔功〕課及格，那算什麼？在一班要趕在一班的最高一排。在一校要趕在一校的最高一排。工〔功〕課要考最優等，品行要列最優等，做人要做最上等的人，這才是有志氣的孩子。但志氣要放在心裡，要放在功夫裡，千萬不可放在嘴上。千萬不可擺在臉上。無論你的志氣怎樣高，對人切不可驕傲。無論你成績怎麼好，待人總要謙虛和氣。你越謙虛和氣，人家越敬你愛你。你越驕傲，人家越恨你，越瞧不起你。

兒子，你不在家中，我們時時想念你，你自己要保重身體。你是徽州人，要記得「徽州朝奉，自己保重」。

爸爸（民國）十八年八月廿六日夜

1 胡適家庭照

給孩子們的信

豐子愷

我的孩子們！我憧憬於你們的生活，每天不止一次！我想委曲地說出來，使你們自己曉得。可惜到你們懂得我的話的意思的時候，你們將不復是可以使我憧憬的人了。這是何等可悲哀的事啊！

瞻瞻！你尤其可佩服。你是身心全部公開的真人。你甚〔什〕麼事體（杭州話）都想拚命地用全副精力去對付。小小的失意，像花生米翻落地了，自己嚼了舌頭了，小貓不肯吃糕了，你都要哭得嘴唇翻白，昏去一兩分鐘。外婆普陀去燒香買回來給你的泥人，你何等鞠躬盡瘁地抱他，餵他；有一天你自己失手把他打破了，你的號哭的悲哀，比大人們的破產、失戀、broken heart、喪考妣、全軍覆沒的悲哀都要真切。兩把芭蕉扇做的腳踏車，麻雀牌堆成的火車、汽車，你何等認真地看待，挺直了嗓子叫「汪——」「咕咕咕……」來代替汽油。寶姊姊講故事給你聽，說到「月亮姊姊掛下一隻籃來，寶姊姊坐在籃裡吊了上去，瞻瞻在下面看」的時候，你何等激昂地同她爭，說「瞻瞻要上去，寶姊姊在下面看！」甚至哭到漫姑面前去求審判。我每次剃了頭，你真心地疑我變了和尚，好幾時不要我抱。最是今年夏天，你坐在我膝上發現了我腋下的長毛，當作黃鼠狼的時候，你何等傷心，你立刻從我身上爬下去，起初眼瞪瞪地對我端相，繼而大失所望地號哭，看看，哭哭，如同對被判定了死罪的親友一樣。你要我抱你到車站裡去，多多益善地要買香蕉，滿滿地擒了兩手回來，回到門口時你已經熟睡在我的肩上，手裡的香蕉不知落在哪裡去了。這是何等可佩服的真率、自然與熱情！大人間的所謂「沉默」「含蓄」「深刻」的美德，比起你來，全是不自然的、病的、偽的！

你們每天做火車、做汽車、辦酒、請菩薩、堆六面畫、唱歌，全是自動的、創造創作的生活。大人們的呼號「歸自然！」「生活的藝術化！」「勞動的藝術化！」在你們面前真是出醜得很了！依樣畫幾筆畫，寫幾篇文的人稱為藝術家、創作家，對你們更要愧死！

你們的創作力，比大人真是強盛得多哩：瞻瞻！你的身體不及椅子的一半，卻常常要搬動它，與它一同翻倒在地上；你又要把一杯茶橫轉來藏在抽斗裡，要皮球停在壁上，要拉住火車的尾巴，要月亮出來，要天停止下雨。在這等小小的事件中，明明表示著你們的弱小的力與智力不足以應付強盛的創作慾、表現慾的驅使，因而遭逢失敗。然而你們是不受大自然的支配，不受人類社會的束縛的創造者，所以你的遭逢失敗，例如火車尾巴拉不住，月亮呼不出來的時候，你們決不承認是事實的不可能，總以為是爹爹媽媽不肯幫你們辦到，同不許你們弄自鳴鐘同例，所以憤憤地哭了，你們的世界何等廣大！

你們一定想：終天無聊地伏在案上弄筆的爸爸，終天悶悶地坐在窗下弄引線的媽媽，是何等無氣性的奇怪的動物！你們所視為奇怪動物的我與你們的母親，有時確實難為了你們摧殘了你們，回想起來，真是不安心得很！

阿寶！有一晚你拿軟軟的新鞋子，和自己腳上脫下來的鞋子，給凳子的腳穿了，剗襪立在地上，得意地叫「阿寶兩隻腳，凳子四隻腳」的時候，你母親喊著「齷齪了襪子！」立刻擒你到籐榻上，動手毀壞你的創作。當你蹲在榻上注視你母親動手毀壞的時候，你的小心裡一定感到「母親這種人，何等煞風景而野蠻」罷！

瞻瞻！有一天開明書店送了幾冊新出版的毛邊的《音樂入門》來。我用小刀把書頁一張一張地裁開來，你側著頭，站在桌邊默默地看。後來我從學校回來，你已經在我的書架上拿了一本連史紙印的中國裝的《楚辭》，把它裁破了十幾頁，得意地對我說：「爸爸！瞻瞻也會裁了！」瞻瞻！這在你原是何等成功的歡喜，何等得意的作品！卻被我一個驚駭的「哼！」字喊得你哭了。那時候你也一定抱怨「爸爸何等不明」罷！軟軟！你常常要弄我的長鋒羊毫，我看見了總是無情地奪脫你。現在你一定輕視我，想道：「你終於要我畫你的畫集的封面！」

最不安心的，是有時我還要拉一個你們所最怕的陸露沙醫生來，教他用他的大手來摸你們的肚子，甚至用刀來在你們臂上割幾下，還要教媽媽和漫姑擒住了你們的手腳，捏住了你們的鼻子，把很苦的水灌到你們的嘴裡去。這在你們一定認為是太無人道的野蠻舉動罷！

孩子們！你們果真抱怨我，我倒歡喜；到你們的抱怨變為感激的時候，我的悲哀來了！

我在世間，永沒有逢到像你們這樣出肺肝相示的人。世間的人群結合，永沒有像你們【這】樣的徹底地真實而純潔。最是我到上海去幹了無聊的所謂「事」回來，或者去同不相干的人們做了叫作「上課」的一種把戲回來，你們在門口或車站旁等我的時候，我心中何等慚愧又歡喜！慚愧我為什麼去做這等無聊的事，歡喜我又得暫時放懷一切地加入你們的真生活的團體。

但是，你們的黃金時代有限，現實終於要暴露的。這是我經驗過來的情形，也是大人們誰也經驗過的情形。我眼看見兒時的伴侶中的英雄、好漢，一個個退縮、順從、妥協、屈服起來，到像綿羊的地步。我自己也是如此。「後之視今，亦猶今之視昔」，你們不久也要走這條路呢？

我的孩子們！憧憬於你們的生活的我，癡心要為你們永遠挽留這黃金時代在這冊子裡。然這真不過像「蜘蛛網落花」，略微保留一點春的痕跡而已。且到你們懂得我這片心情的時候，你們早已不是這樣的人，我的畫在世間已無可印證了！這是何等可悲哀的事啊！

老舍寫給家人的信

老舍

接到信，甚慰！濟與乙都去上學，好極！唯兒女聰明不齊，不可勉強，致有損身心。我想，他們能粗識幾個字，會點加減的算法，知道一點歷史，便已夠了。只要身體強壯，將來能學一份手藝，即可謀生，不必非入大學不可。假若看到我的女兒會跳舞演劇，有作明星的希望，我的男孩能體壯如牛，吃得苦，受得累，我必非常歡喜！我願自己的兒女能以血汗掙飯吃，一個誠實的車伕或工人一定強於一個貪官污吏，你說是不是？教他們多遊戲，不要緊逼他們讀書習字；書獃子無機會騰達，則成為廢物，有機會做官，則必貪污誤國，甚為可怕。至於小雨，更宜多多玩耍，不可教她識字，她才剛剛四歲呀！每見摩登夫婦，教三四歲小孩識字號，客來則表演一番，是以兒童為玩物，則忘了兒童身心發育甚慢，不可助長也。

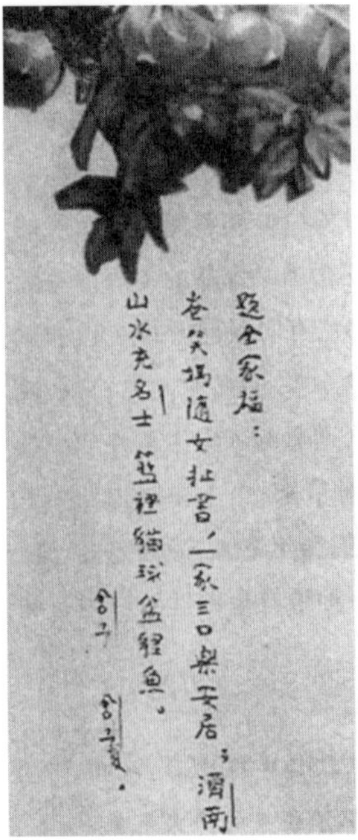

1 1934 年，老舍夫婦和舒濟在濟南的全家福。

傅雷寫給兒子傅聰的信

傅雷

親愛的孩子：

你回來了，又走了；許多新的工作，新的忙碌，新的變化等著你，你是不會感到寂寞的；我們卻是靜下來，慢慢地回復我們單調的生活，和才過去的歡會與忙亂對比之下，不免一片空虛，昨兒整整一天若有所失。孩子，你一天天地在進步，在發展；這兩年來你對人生和藝術的理解又跨了一大步，我愈來愈愛你了，除了因為你是我們身上的血肉所化出來的而愛你之外，還因為你有如此煥發的才華而愛你；正因為我愛一切的才華，愛一切的藝術品，所以我也把你當作一般的才華（離開骨肉關係），當作一件珍貴的藝術品而愛你。你得千萬愛護自己，愛護我們所珍視的藝術品！遇到任何一件出入重大的事，你得想到我們——連你自己在內——對藝術的愛！不是說你應當時時刻刻想到自己了不起，而是說你應當從客觀的角度重視自己：你的將來對中國音樂的前途有那麼重大的關係，你每走一步，無形中都對整個民族藝術的發展有影響，所以你更應當戰戰兢兢，鄭重其事！隨時隨地要準備犧牲目前的感情，為了更大的感情——對藝術對祖國的感情，你用在理解樂曲方面的理智，希望能普遍地應用到一切方面，特別是用在個人的感情方面。我的園丁工作已經做了一大半，還有一大半要你自己來做的了。爸爸已經進入人生的秋季，許多地方都要逐漸落在你們年輕的後面，能夠幫你的忙將要越來越減少；一切要靠你自己努力，靠你自己警惕，自己鞭策。你說到技巧要理論與實踐結合，但願你能把這句話用在人生的實踐上去；那麼你這朵花一定能開得更美、更豐滿、更有利、更長久！

談了一個多月的話，好像只跟你談了一個開場白。我跟你是永遠談不完的，正如一個人對自己的獨白是終生不會完的。你跟我兩人的思想和感情，不正是我自己的思想和感情嗎？清清楚楚的，我跟你的討論和爭辯，常常就是我跟自己的討論和爭辯。父子之間能有這種境界，也是人生莫大的幸福。除了外界的原因沒有能使你把假期過得像個假期以外，連我也給你一些小小的不愉快，破壞了你回家前的對家庭的期望。我心中始終對你抱有歉意。但願你這次給我的教育（就是說從和你相處而反映出我的缺點）能對我今後發生作用，把我自己繼續改造。儘管人生那麼無情，我們本人還是應當把自己盡量改好，少給人一些痛苦，多給人一些快樂。說來說去，我仍抱著「寧天下人負我，毋我負天下人」的心願。我相信你也是這樣的。

1　1956年夏，傳雷與兒子傅聰在研談詩詞。

2　1956年9月，傅聰與父母在杭州留影。

給兒子的兩封信

林薇

一

方方：❶

你今天走後，我生起爐子，就開始寫我的短篇，一直寫（到）晚上十點三刻，完成了。題目叫《空殼》，共三十頁，即六千二百字，當然太長了，等你回來砍吧！如果這篇能使你稍為有點心動，那將是我最大的安慰。好，等你回來。

姐姐來了一信，給你的信，留在這裡，也等你回來看吧！

你爸又寄來安徽文學、新港和奔流，三本，昨天為什麼是兩本？寫信去問問，可能也無濟於事了。

望不要遇到一點不如意就影響情緒，那（哪）有什麼事都那麼順利的。

我接著改詩好嗎？多一點靈感吧！

祝好！

媽〔1979.〕12.5 東東生日的前夕

1 林薇在北戴河休養時拍照留念

二

方方：

剛發出一信就找到寄來兩本紅岩，你的詩很不錯，沒有名字。我想是小詩只有兩首太少了，還是有幾本別人的詩也在等中，不要在意。

今天下午糊完了裡間，真費事，東西搬出又搬進，明天又要搬出，不過乾淨多了，大概什麼事兒都是【只】有利的一方面。可把我累壞了，善外〔後〕工作真多，明天還要一天，不然我就把紅岩給你送去了。

沒有煤球了，正好老劉來了，我請他幫忙推了五十斤和十斤劈柴，老劉累得直喘，看他真可憐，給他一些酬勞，可對我真是天無絕人之路，不然我還得自己去提煤。

注意身體。

祝快樂！

媽

〔1980.〕1.16

小桐來了，她認為你是十六號生日，所以今天來祝賀了。我是和她說星期二，可她以為我記錯了星期幾。她送給你的日記本非常漂亮。

註釋

❶ 方方，即作家止庵，原名王進文，另名方晴。

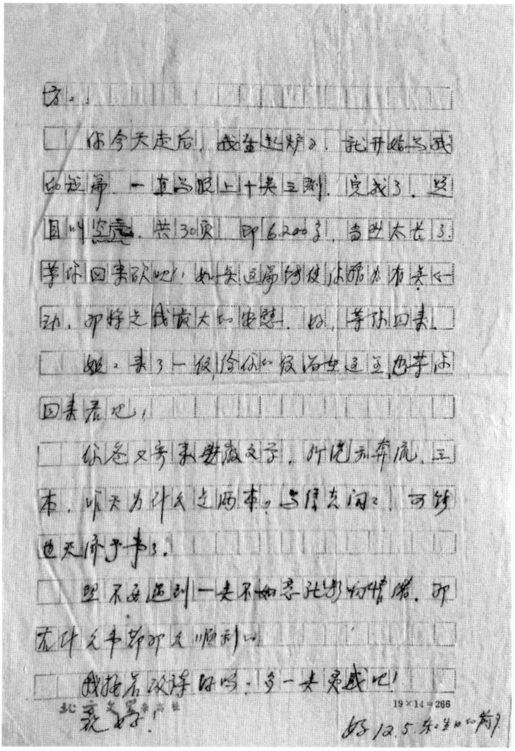

方方：

你今天走后，我生起炉子，就开始写我的短篇，一直写到晚上十点三刻，完成了。这题目叫[illegible]，共30页，即6,000字，当然太长了。等你回来改吧！如果[illegible]，那将是我最大的安慰。好，等你回来。

姐姐来了一段，给你的[illegible]在这里，也等你回来看吧！

你爸又寄来[illegible]文字，[illegible]三本，昨天为什么只送两本，[illegible]，可能也无济于事了。

望不要遇到一点不如意[illegible]，[illegible]

我[illegible]，多一点[illegible]吧！

祝好！

妈 12.5 [illegible]

2 林薇給兒子的信手稿

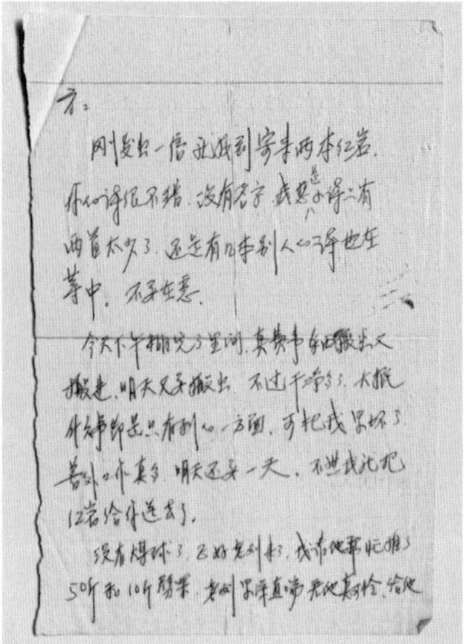

方方：

刚发出一信，便收到寄来两本红岩。你们的诗很不错，没有名字，我想你的诗还有两首太少了。还是有几本别人的诗也在等中。不要在意。

今天下午排完了空间，真费事，[illegible]搬出又搬进，明天又要搬出，不过干净多了。大概[illegible]只有这一方面，可把我累坏了。[illegible]明天还要一天，不然我就把红岩给你送去了。

没有煤球了，[illegible]，我们[illegible]5斤和10斤[illegible]，[illegible]

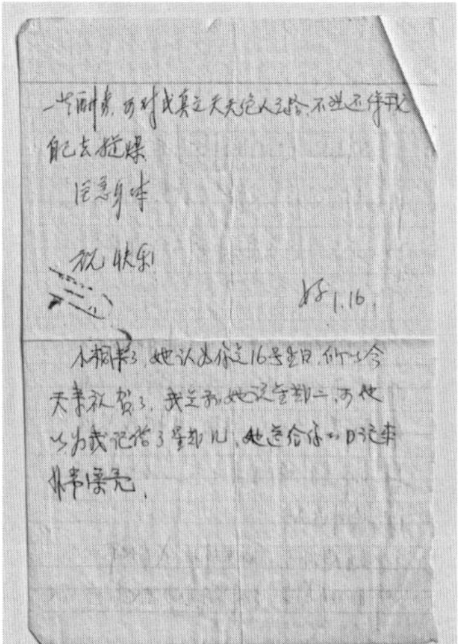

一些耐烦，可对我真是天天给人送给，不然还得我自己去提煤。

注意身体

祝快乐

妈 1.16

小桐来了，她认为你是16号生日，所以今天来祝贺了。我告诉她说是初二，可她认为我记错了[illegible]。她送给你一[illegible]日记本，[illegible]

3 林薇給兒子的信手稿

給兒子的信

謝君任

其章：❶

你由內蒙〔古〕9.5來信很快於十四日就收到了。知道你已經到達工作崗位，聞之欣慰。

新到一個地方，首先要習慣這個地方的生活飲食起居，這樣才能使身體健康精神愉快，然後對勞動才有勁。你在家裡吃的東西面不廣，羊肉更是家裡很少吃的，少數民族卻一大半伙食是牛羊肉，首先要習慣，習慣開始也可以帶點強制性，慢慢就〔習〕以為常了。這是你真正獨立生活的開始，自己在多方面都要注意，不要像在家裡這樣。那裡估計醫療條件不太好，有了病就要去診治，不要像在家裡發燒幾天也不言語。要和群眾打成一片，經常和貧下中農請教，向他們學生產技術，學他們優良生活作風。要真正做到毛主席教導的「為工農兵服務，向工農兵學習。」那裡據來信說交通比青海方便多了。生活和勞動情況還說得不詳細，下次來信詳告。

我在這裡身體、工作都很好。其相在寧波時也有信給我。他大約在9.1由上海起程返京，還要在天津下車，估計四、五日才到京。想你和北京通信一、二天就可到，比我早知道了。

寄去紀念章大小各一，收到後告我。

經常寫信來，餘俟後詳。

祝：

你身體好、工作好、學習好！

爸爸 1968.9.18 中午

在巴音河

註釋

❶ 其章，即藏書家謝其章，著有《漫話老雜誌》、《「終刊號」叢話》、《搜書記》。

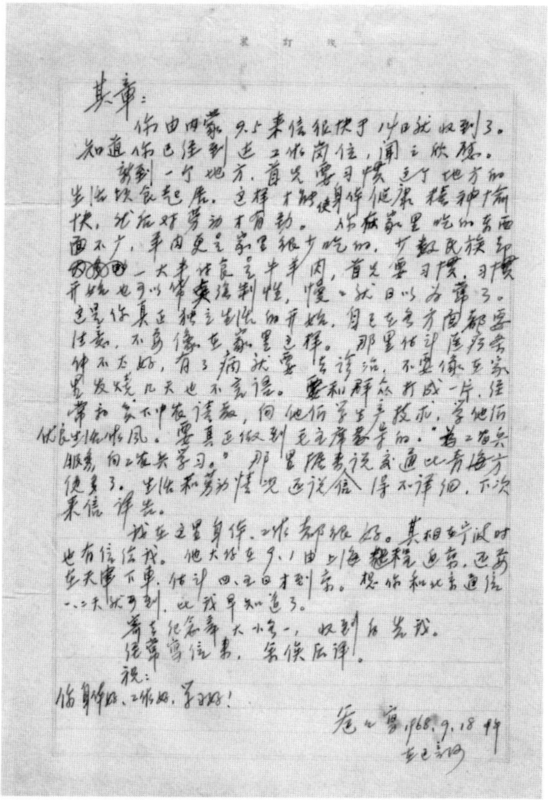

装 订 线

其章：

你由内蒙9.5来信很快于14日就收到了。知道你已经到达工作岗位，闻之欣慰。

新到一个地方，首先要习惯这个地方和生活饮食起居。这样才能使身体健康，精神愉快，然后对劳动才有劲。你在家里吃的东西面不广，羊肉更是家里很少吃的。少数民族一大半饮食主吃牛羊肉，首先要习惯，习惯开始也可以带(?)克制性，慢慢就可以为常了。这是你真正独立生活的开始，自己在各方面都要注意，不要像在家里这样。那里估计医疗条件不太好，有了病就要去诊治，不要像在家里发烧几天也不言语。要和群众打成一片，经常和贫下中农请教，向他们学生产技术，学他们优良生活作风。要真正做到毛主席教导的："为工农兵服务，向工农兵学习。"那里据说(?)交通比青海方便多了。生活和劳动情况这次信写得不详细，下次来信详告。

我在这里身体、工作都很好。其相在宁波时也有信给我。他大约在9.1由上海起程返京，途中在天津下车，估计四、五日才到京。想你和北京通信一、二天就可到，比我早知道了。

寄去纪念章大小各一，收到后告我。

经常写信来，家俟后详。

祝：

你身体好、工作好、学习好！

爸爸寄 1968.9.18 于(?)

[illegible]

1 （頁30）圖為青年上山下鄉

2 （頁31）謝君任給兒子的信手稿

做個快樂的讀書人

劉墉

今天下午，你去上中文課之前，我看見你不斷地翻書，一邊翻，一邊數，然後得意地說你這個禮拜讀了兩千多頁的課外書，一定能得獎了。

過去的兩個禮拜，爸爸也確實看見你每天才吃完飯，就抱著書看，爸爸還好幾次對你說：「剛吃完飯，應該休息休息，讓血液去腸胃裡工作。如果急著看書，血都跑到大腦裡去了，會消化不良。而且剛吃飽比較糊塗，讀書的效果也不好。」

只是不管爸爸怎麼說，你都不聽，才把書放下幾分鐘，跟著又拿起來。你讀書的樣子好像打仗似的，好快好快地翻，讀完的時候還大大喘口氣：「哇，我又讀了一本。」

現在，爸爸終於搞懂了。原來你們中文班上有讀書比賽，每個禮拜統計，看誰讀得多。爸爸不反對這種比賽，它確實能鼓勵小朋友讀不少中文書。只是，爸爸也懷疑你到底能記住多少，又讀懂了多少。

如果你只是匆匆忙忙地翻過去，既不能咀嚼書裡的意思，又不能欣賞美麗的插圖，甚至不能享受那些故事，獲得讀書的樂趣——你讀得再多，又有什麼意義呢？

還記不記得兩三年前，有一次爸爸媽媽帶你去自然歷史博物館，進門時，有人發個小本子給你，說「歡迎參加發現之旅」。

原來他們在博物館各個角落，設立了許多站。每到一站就可以蓋個章。一整本都蓋滿章的小朋友，就能得到一份小獎品。

爸爸也非常欣賞博物館的美意，知道他們希望藉著這個方法，使小朋友能到每個展覽室去參觀。只是，那天沒見到幾個細細參觀的小朋友，倒是見到不少家長，疲於奔命地跟著孩子跑來跑去——包括你的爸爸媽媽在內。

你也得到了一份獎品。但你想想，我們去博物館那麼多次，你那次是不是最累，卻最沒看到什麼東西？

讀書就跟到博物館一樣，你可以「精讀」，從頭到尾只待在一間展覽室裡，研究一兩樣東西：你也可以「瀏覽」，到處走走，遇到感興趣的，就多讀一下展品的說明。

讀書也可以像是參加「發現之旅」的比賽。大家拚命讀，拚命衝，比誰讀得多，誰考得好。只是到頭來，很可能沒見到多少，沒學到多少，徒然得個虛名，卻浪費了時間又搞壞了身體。

孩子！你總是去圖書館，那裡的書是不是好多好多，讓你讀一輩子也讀不完？如果有個人天天都去讀書，一輩子讀了幾千萬頁的書，他還有時間寫文章、寫書，或把學到的東西拿來使用嗎？

孩子！爸爸不要你拿第一，只希望你做個快樂的讀書人，而且快樂地讀，快樂地用，常常溫習，常常思索。

我希望你每星期只讀一兩本書，卻能在讀完之後對我提出很多自己的想法，甚至有一天對我說：「爸爸，你看我也模仿那本書，寫了一個小故事，我還畫了幾個插圖呢！」

爸爸願意哄著你長大

曹文軒

蒙蒙，我的兒子：

爸爸在給你寫信。爸爸也許會在給你這封信時，突然改變主意而將它壓下。爸爸並不一定要讓你看到這封信，爸爸只是有話要說——寫了信，就等於和你當面說話了。也許過一些日子，我又會將它交到你手上，也許會過很久很久，也許永遠塵封直到它風化成紙的碎末。

幾年前，你媽媽去美國了，我們又開始了朝夕相處的生活。我們已經很久很久未能朝夕相處了。那些年，我們總是斷斷續續地見面，匆匆地相聚，又匆匆地離別，漸漸地，我們之間的感情變得淺淡起來，生疏起來。而我總是被千頭萬緒的事情糾纏著、困擾著，無法靜心思考我們之間的關係。見了面，我只是從物質上滿足你，甚至想通過這些物質討好你。我心裡永遠潛藏著內疚和不安。想到不能與你朝夕相處，想到你身邊不能有爸爸的身影隨時相伴，我覺得你是一個很不幸的孩子——每逢這個時候，我的心裡酸酸的，眼睛會變得潮濕。然而，我沒有辦法改變這樣的狀況。因為毀壞了的，就只能永遠毀壞了。當我看著你小小的身影漸漸遠去時，我只能自己安慰自己：你大了，會懂的。

沒想到，事情突然改變了——你媽媽要去遠方了，你必須回到我的身邊。

你的姐姐冬冬向我描述了一次開家長會的經過。那次家長會正趕上我在外地，由冬冬代我去開。當時正是美國大學休假的時間，她在北京替我照料你。事後，她激動萬分、繪聲繪色地向我描述了當時的情景：「我剛到達校門口，就有幾個孩子迎上前來問：『你是曹西蒙的姐姐嗎？』我說：『是呀。』其中一個孩子說：『果然是。』我問他們：『你們怎麼知道我是曹西蒙的姐姐？』他們說：『蒙哥說了，最好看的那個女孩就一定是我姐姐。姐姐，從這一刻起，你就儘管吩咐我們。蒙哥委託我們來照料你的，他佈置會場去了。』一路上，他們不住地向我誇獎『蒙哥』的為人和種種美德。我對他們說：『你們一定是曹西蒙的死黨，就只知道給他塗脂抹粉。』他們一副受了冤枉的神態：『姐，不是啦，我們說的都是事實。』到了那兒我才知道，這不是一次全體家長會，而是為解決班上一場同學之間的紛爭而召開的，去的只是有關孩子的家長。我們家蒙蒙是這場紛爭的主要人物。我們蒙蒙真棒！開會不久，他就第一個站起來發言，主動承擔責任，並且將本不該由他承擔的責任，也都攬到了自己的身上。太棒了，我們蒙蒙真是太棒了！……」冬冬對我說：「舅舅，你完全沒有必要擔心蒙蒙，他是一個很出色的孩子。」我知道你冬冬姐之所以如此激動，如此不留餘地地讚美你，正是因為她曾和爸爸一樣在為你焦慮。不僅是冬冬姐，你的虎子哥哥、華子姐姐、二子哥哥、越越姐姐，都和爸爸一樣曾為你焦慮過。現在，他們也開始和爸爸一樣，在放鬆，在用別樣的眼光打量你。

當然，你自己也在改變。你已經知道克制自己的脾氣，已經知道在某些時候做出必要的退讓。爸爸已經可以與你對話了，儘管這樣的對話並不多，也不夠推心置腹。但我們畢竟開始了對話。爸爸也學會了克制自己的脾氣，做出必要的退讓。當我們之間無時無刻不在的緊張得到緩解，當你一天天地變得快樂並在不斷成長時，爸爸覺得帶你來到這個世界上，真是一件非常好的事情。爸爸寫過很多得意的作品，也許，你才是我最得意的作品。

現在，當我想起最初接管你時那種坐臥不安的焦慮，就會覺得不必要。我為我對你的行為總是不假思索地反感和指責，感到非常抱歉。爸爸願意對自己的粗暴深刻反省，並願意誠懇地向你道歉。

兒子，鮮亮的青春才剛剛開始光顧你。從今以後，你生命的光彩會迷倒無數人。長大吧，不住地長大，爸爸願意哄著你。

兩百年後的世界

劉慈欣

親愛的女兒：

你好！這是一封你可能永遠收不到的信，我將把這封信保存到銀行的保險箱中，委託他們在我去世後的第二百年把信給你。不過我還是相信，你收到信的可能性更大一些。

當你看著這張信紙上的字時，爸爸早已消逝在時間的漫漫長夜中。我不知道人的記憶在兩個多世紀的歲月中將如何變化，經過這麼長的時間，我甚至不敢奢望你還記得我的樣子。

但如果你在看這封信，我至少有一個預言實現了：在你們這一代，人類征服了死亡。在我寫這封信的時候已經有人指出：第一個永生的人其實已經出生了。當時我是相信這話的少數人之一。

我不知道你們是怎麼做到的，也許你們修改了人類的基因，關掉了其中的衰老和死亡的開關，或者你們的記憶可以數字化後上傳或下載，軀體只是意識的承載體之一，衰老後可以換一個……

你收到這封信，還說明了一個重要的事實：銀行對這封信的保管業務一直在正常運行，說明這兩個多世紀中社會的發展沒有重大的斷裂。這是最令人欣慰的一件事，如果真是這樣，那我的其他的預言大概也都成了現實。在你出生不久，在我新出版的一本科幻小說的扉頁上，我寫下了：「送給我的女兒，她將生活在一個好玩兒的世界。」我相信你那時的世界一定很好玩兒。

你是在哪兒看我的信？在家裡嗎？我很想知道窗外是什麼樣子。對了，應該不需要從窗子向外看，在那個超信息時代，一切物體都能變成顯示屏，包括你家的四壁，你可以隨時讓四壁消失，置身於任何景致中。

你可能已經覺得我可笑了，就像一個清朝的人試圖描述二十一世紀一樣可笑。但你要知道，世界是在加速發展的，二十一世紀以後，兩百多年的技術進步相當於以前的兩千多年，甚至更長的時間，所以我不是像清朝人，而是像春秋戰國的人想像二十一世紀那樣想像你的時代，在這種情況下，想像力與現實相比將顯得極度貧乏。

好吧，你也許根本沒在看信，信拿在別人手裡，那人在遠方，是他（她）在看我的信，但你在感覺上同自己在看一樣，你能夠觸摸到信紙的質地，也能嗅到那兩個多世紀後殘存的已經淡到似有似無的墨香……因為在你的時代，互聯網上聯結的已經不是電腦，而是人腦了。信息時代發展到極致，必然實現人腦的直接聯網。

你的孩子不用像你現在這樣辛苦地寫作業了，傳統意義上的教育已經不存在，每個人都可以在聯入網絡的瞬間輕易擁有知識和經驗。但與人腦互聯網帶來的新世界相比，這可能只是一件微不足道的事。

說到孩子，你是和自己的孩子一起看這封信嗎？在那個長生的世界裡，還會有孩子嗎？我想會有的，那時，人類的生存空間應該已經不是問題，太陽系中有極其豐富的資源，如果地球最終可以養活一千億人，這些資源則可以維持十萬個地球，你們一定早已在地球之外建立新世界了。

那時的天空是什麼樣子？天空是人類所面對的最恆久不變的景致，但我相信那時你們的天空已經有了變化，地球上所有的能源和重工業都已經遷移到太空中，那些飄浮的工廠和企業構成了星環。那是太空城，我甚至能想出他們的名字：新北京、新上海和新紐約什麼的。

你的職業是什麼？你所在時代應該只有少數人還在工作，而他們工作的目的已經與謀生無關。但我也知道，那時仍然存在著許多需要人去做的工作，有些甚至十分艱險。在火星的荒漠，在水星灼熱的礦區，在金星的硫酸雨中，在危險的小行星帶，在木衛二冰凍的海洋上，甚至在太陽系的外圍，在海王星軌道之外寒冷寂靜的太空中，都有無數人在工作著。你當然有權選擇自己的生活，但如果你是他們中的一員，我為你而驕傲。

你在那時過得快樂嗎？我知道，每個時代都有自己的煩惱，我無法想像你們時代的煩惱是什麼，卻能夠知道你們不會再為什麼而煩惱。首先，你不用再為生計奔忙和操勞，在那時貧窮已經是一個古老而陌生的字眼；你們已經掌握了生命的奧秘，不會再被疾病所困擾；你們的世界也不會再有戰爭和不公正……但我相信煩惱依然存在，甚至存在巨大的危險和危機，我想像不出是什麼，就像春秋戰國的人想像不出溫室效應一樣。這裡，我只想提一下我最擔心的事情。

你們遇到TA們了嗎？你知道我指的是什麼，人類與TA們的相遇可能在十萬年後都不會發生，也可能就發生在明天，這是人類所面臨的最不確定的因素。關於未來，這是我最想知道的一件事。雖然我早已聽不到你的回答，但還是請你告訴我一聲吧。

親愛的女兒，現在夜已經深了，你在房間裡熟睡，這年你十三歲。聽著窗外初夏的雨聲，我又想起了你出生的那一刻，你一生出來就睜開了眼睛，那雙清澈的小眼睛好奇地打量著這個世界，讓我的心都融化了，那是二十一世紀第一年的五月三十一日，兒童節的前夜。現在，爸爸在時間之河的另一端，在兩百多年前的這個雨夜，祝你像孩子一樣永遠快樂！

一支煙的故事

畢飛宇

親愛的孩子：

你一直討厭我抽煙，我也十分渴望戒煙，可是，我一直都沒有做到，很慚愧。

今天就給你講講我抽煙的事，或許對你有所幫助。

一九八三年，十九歲的那一年，我開始了我的大學生涯。

我們宿舍裡有八個同班同學，其中有兩個是癮君子。他們有一個習慣，掏出香煙的時候總喜歡「打一圈」，也就是每個人都送一支。這是中國人在交際上的一個壞習慣，吸煙的人不「打一圈」就不足以證明他們的慷慨。

我呢，那時候剛剛開始我的集體生活，其實還很脆弱。我完全可以勇敢地謝絕，但是，考慮到日後的人際，我犯了一個錯，我接受了。這是一個糟糕的開始，許多糟糕的開始都是由不敢堅持做自己開始的。

但人也是需要妥協的，在許多並不涉及原則性的問題上，不堅持做自己其實也不是很嚴重的事情。我的問題在於，我在不敢堅持做自己的同時又犯了一個小小的錯，虛榮。其實，所謂的

「打一圈」是一個十分虛假的慷慨，如果當事人得不到回報，他也就不會再「打」了。這是常識，你懂的。我的虛榮就在這裡，人家都「請」了我好幾回了，我怎麼可以不「回請」呢？我開始買香煙就是我的小虛榮心鬧的，是虛榮心逼著我在還沒有上癮的時候就不停地買煙去了。

不要怕犯錯，孩子，犯錯永遠都不是一件大事情。可有一件事情你要記住，學會用正確的方法面對自己的錯，尤其不能用錯上加錯的方式去糾正自己的錯。實在不知道如何應對，你寧可選擇不應對。

我抽煙怎麼就上癮的呢？這是我下面要對你說的。

因為校內禁煙，白天不能抽，我的香煙並不能隨身攜帶。放在哪裡呢？放在枕頭邊上。終於有那麼一天，你爺爺，也就是我的爸爸，來揚州開會來了。在會議的間隙，他來看望我。當你的爺爺坐在我的床沿和我聊天的時候，我突然發現了我枕邊的香煙。藏起來已經來不及了。以我對你爺爺的瞭解，他一定是看見了，但是，他什麼都沒有說。你知道的，你爺爺也吸煙，但這並不意味著他會贊成他的兒子去吸煙——他會如何處理我吸煙這件事呢？我如坐針氈，很怕，其實在等。

十幾分鐘就這樣過去了，我很焦躁。十幾分鐘之後，你爺爺掏出了香煙，抽出來一根，在猶豫。最終，他並沒有把香煙送到嘴邊去，而是放在了桌面上，就在我的面前，一半在桌子上，一半是懸空的。孩子，我特別希望你注意這個細節：你爺爺並沒有把香煙送到你爸爸的手上，而是放在了桌子上。後來你爸爸就把香煙拿起來了，是你爺爺親手幫你爸爸點上的。

現在，我想把我當時的心理感受盡可能準確地告訴你，在你爺爺幫你爸爸點煙的時候，你爸爸差點就哭了，他費了好大的勁才忍住了他的眼淚。你爸爸認定了這個場景是一個感人的儀式——他是一個真正的男人了，他男人的身份徹底被確認了。

事實上，這是一個誤判。

我們先說別的，你也知道的，作為你的爸爸，我批評過你，但是，不知道你注意到沒有，爸爸幾乎沒有在外人的面前批評過你。你有你的尊嚴，爸爸沒有權利在你的伙伴面前剝奪它。同樣，你爺爺再不贊成我抽煙，考慮到當時的特殊環境，他也不可能當著那麼多的同學呵斥他的兒子。我希望你能懂得這一點，做了父親的男人就是這樣，在公共環境裡，如何和自己的兒子相處，他的舉動和他真實的想法其實有出入，甚至很矛盾。這裡頭有一個公開的秘密，做父親的總是維護自己的兒子，但這並不意味著兒子的舉動就一定恰當。

我想清清楚楚地告訴你，父愛就是父愛，母愛就是母愛，無論它們多麼寶貴，它們都不足以構成人生的邏輯依據。

一個男孩到底有沒有長成為一個男人，一支香煙無論怎樣也承載不起。是你爸爸誇張了。誇張所造成的後果是這樣的：爸爸到現在也沒能戒掉他的香煙。

孩子，爸爸最享受的事情就是和你交流。囿於當年的特殊環境，你爺爺和你爸爸交流得不算很好，你和爸爸的環境比當年好太多了，我們可以交流得更加充分，不是麼？

附帶告訴你，爸爸一定會給你一個具備清晰表達能力的成人禮。

祝你快樂！

飛宇

二〇一四年五月二十六日於香港

把生命浪費在美好的事物上

吳曉波

每個父親，在女兒十八歲的時候，都有為她寫一本書的衝動。現在，輪到我做這件事了。你應該還記得，從很小的時候，我就開始問你一個問題：你長大後喜歡幹什麼？

第一次問，是在去日本遊玩的歌詩達郵輪上，你小學一年級。你的回答是，遊戲機房的收銀員。那些天，你在郵輪的遊戲機房裡玩瘋了，隔三岔五，就跑來向我要零錢，然後奔去收銀小姐那裡換游戲幣。在你看來，如果自己當上了收銀員，那該有多爽呀。

後來，我一次又一次地問這個問題，你長大後喜歡幹什麼？

你一次又一次地更換自己的「理想」。有一次是海豚訓練師，是看了戴軍的節目，覺得那一定特別酷；還有一次是寵物醫生，大概是送圈圈去寵物店洗澡後萌生出來的。我記得的還有文化創意、詞曲作家、花藝師、家庭主婦……

十六歲的秋天，你初中畢業後就去了溫哥華讀書，因為我和你媽簽證出了點狀態，你一個人拖著兩個大箱子就奔去了機場，媽媽在你身後淚流滿面，我對她說，這個孩子從此獨立，她將有權利選擇自己喜歡的大學、工作和城市，當然，還有喜歡的男朋友。

在溫哥華，你過得還不錯，會照顧自己、有了閨蜜圈、第一次獨自旅行，還親手給你媽做了件帶帽子的運動衫，你的成績也不錯，期末得了全年級數學一等獎。我們全家一直在討論以後讀哪所大學，UBC、多倫多大學還是QUEEN。❶

又過了一年，我帶你去台北旅行，在台灣大學的校園裡，夕陽西下中漫步長長的椰林大道，我又問你，你以後喜歡幹什麼？

你突然說，我想當歌手。

這回你貌似是認真的，好像一直、一直在等我問你這個問了好多年的問題。

然後，你滔滔不絕地談起自己對流行音樂的看法，談了對中國當前造星模式的不滿，談了日韓公司的一些創新，談了你自認為的歌手定位和市場空間，你還掏出手機給我看MV，我第一次知道Bigbang，知道權志龍，我看了他們的MV，覺得與我當年喜歡過的Beyond和黃家駒那麼的神似，一樣的亞洲元素，一樣的都市背街，一樣的藍色反叛，一樣的如煙花般的理想主義。

在你的眼睛裡，我看見了光。

作為一個常年與數據打交道、靠理性分析吃飯的父親，我提醒你說，如果按現在的成績，你兩年後考進排名全球前一百位的大學，大概有超過七成把握。但是，流行歌手是一個與天賦和運氣關係太大的不確定行業，你日後成為一名二流歌手的概率大概也只有百分之十，你得想清楚了。

你的目光好像沒有游離，你說，我不想成名，我就是喜歡。

我轉身對一直在旁邊默默無語的媽媽說，這次是真的。

其實，我打心眼裡認同你的回答。

在我小時候，沒有人問過我這個問題。從一年級開始，老師佈置寫作文「我的理想」，保衛祖國的解放軍戰士、像愛因斯坦那樣的科學家或者是遨遊宇宙的宇航員，現在想來，這都是大人希望我們成為的那種人，其實大人自己也成不了。

這樣的後果是很可怕的。記得有一年，我去四川大學講課，一位女生站起來問我：「吳老師，我應該如何選擇職業？」她是一位物理系在讀博士生。我問她：「你為什麼要讀物理，而且還讀到了博士？」她說：「是我爸爸媽媽讓我讀的。」「那麼，你喜歡什麼？」她說：「我不知道。」

還有一次，在江蘇江陰，我遇到一位三十多歲的女商人，賺了很多錢，卻說自己很不快樂。我問她：「那麼，你自己喜歡什麼呢？」她聽到這個問題，突然怔住了，然後落下了眼淚。她說，我從來沒有想過這個問題。從很小的時候，她就跟隨親戚做生意，從販運、辦廠到炒房產，什麼賺錢幹什麼，但她一直沒有想過，自己到底喜歡什麼。

今日中國的九〇後，是這個國家近百年來，第一批和平年代的中產階級家庭子弟，你們第一次有權利也有能力選擇自己喜歡的生活方式和工作——它們甚至可以只與興趣和美好有關，而無關乎物質與報酬，更甚至，它們還與前途、成就、名利沒有太大的干係，只要它是正當的，只要你喜歡。

喜歡，是一切付出的前提。只有真心地喜歡了，你才會去投入，才不會抱怨這些投入，無論是時間、精力還是感情。

這個世界上，不是每個國家、每個時代、每個家庭的年輕人都有權利去追求自己所喜歡的未來。所以，如果你僥倖可以，請千萬不要錯過。

接下來的事情，在別人看來就特別的「烏龍」了。你退掉了早已訂好的去溫哥華的機票，在網上辦理了退學手續，我為你在上海找到了一間日本人辦的音樂學校，它只有十一個學生，還是第一次招生。

過去的一年多裡，你一直在那間學校學聲樂、舞蹈、譜曲和樂器，據說挺辛苦的，一早上進琴房，下午才出得來，晚上回到宿舍身子就跟散了架一樣，你終於知道把「愛好」轉變成「職業」，其實並不是一件容易的事情。其實，我到現在還不知道你到底學得怎麼樣，是否有當明星的潛質，但是有一點是肯定的，你確乎是快樂的，你選了自己喜歡走的路。

「生命就應該浪費在美好的事物上。」

這是台灣黑松汽水的一句廣告詞，大概是十二年前，我在一本廣告雜誌上偶爾讀到。在遇見這句話之前，我一直被職業和工作所驅趕，我不知道生活的快樂半徑到底有多大，什麼是有意義的，什麼則是無效的，我想，這種焦慮一定纏繞過所有試圖追問生命價值的年輕人。是這句廣告詞突然間讓我明白了什麼，原來生命從頭到尾都是一場浪費，你需要判斷的僅僅在於，這次浪費是否（不）是「美好」的。後來，當我每做一件事情的時候，我便問自己，你認為它是美好的嗎？

如果是，那就去做吧，從這裡出發，我們去抵抗命運，享受生活。

現在，我把這句話送給十八歲的女兒。

此刻是二〇一四年十二月十二日。我在機場的貴賓室完成這篇專欄文字，你和媽媽在旁邊，一個在看朋友圈，一個在聽音樂，不遠處，工人們正在佈置一棵兩人高的聖誕樹，他們把五顏六色的禮盒胡亂地掛上去。我們送你去北京，到新加坡音樂人許環良的工作室參加一個月的強訓，來年的一月中旬，你將去香港，接受一家美國音樂學院的面試。

說實在的，我的十八歲的女兒，我不知道你的未來會怎樣，就好比聖誕樹上的那隻禮盒，裡面到底是空的，還是真的裝了一粒巧克力。

註釋

❶「UBC」指英屬哥倫比亞大學，「QUEEN」指皇后大學。

姥姥的信

楊瑞興

這是一封從膠東解放區發往晉察冀邊區❶前線的急信。發信的人是我的姥姥，信寄給她的兒子——我的大舅——人民解放軍晉察冀邊區政治部衛生隊宣傳科副科長——徐惠人。信的內容如下：

象坤書悉。前天寄去一信，諒先收閱。茲為自汝父去世後，常見鄰居一家團敘，何等快樂喔。我則孤單一人，何等難過。況汝父去世後，一切化〔花〕費及咱之藥舖應如何辦理，我又向誰來說。每念他人有子，朝夕敘談，我有兒子，竟能十年不見一面！想人生處此環境，有何意味。一思及此，則想兒之心如刀割針刺，不思飲食，近日竟覺身體不適。我兒若念母子之情，可與首長婉言請假，來家一趟，既能稍慰我心，又能辦理家務，稍住幾日，再返原地工作，我決不攔留。即便道路梗阻，亦要設法來家一趟，倘置之不理，恐我憂成不起之疾，迺時想見我面，亦恐不易，望我兒三思為要。別不多示。

古曆正月十七日　母字

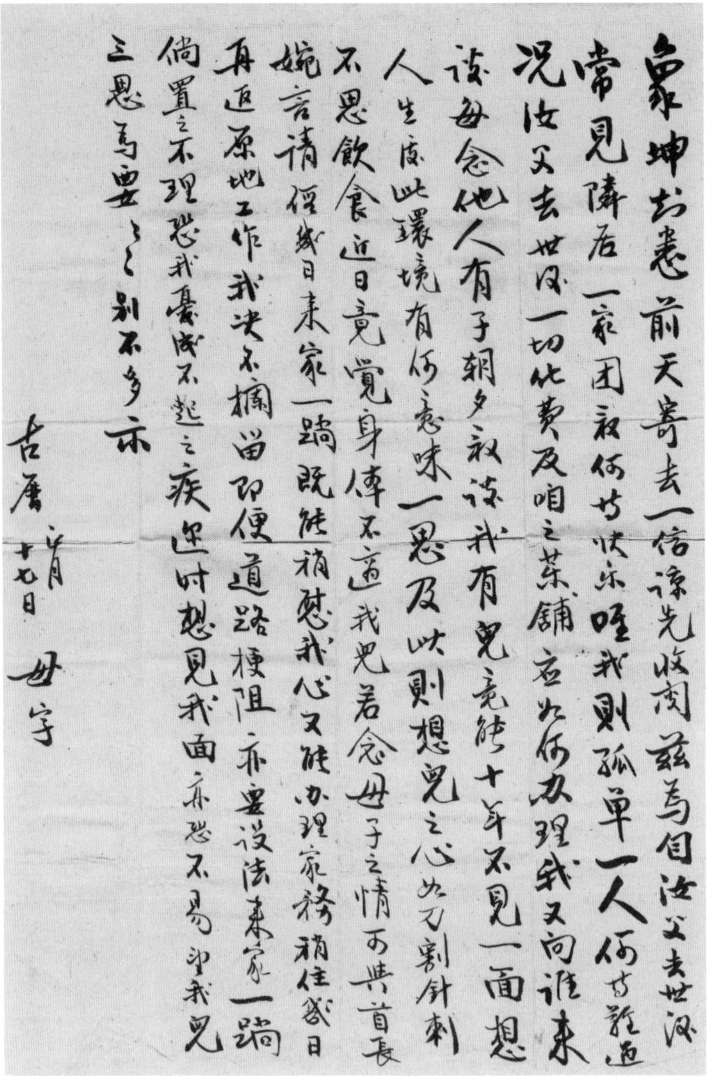
象坤如悉 前天寄去一信 諒先收閱 茲為自汝父去世後
常見隣居一家團叙何等快樂 唯我則孤單一人 何等難過
況汝又去世後一切化費及咱之菜舖應如何辦理 我又向誰來
談 每念他人有子朝夕叙談 我有兒竟能十年不見一面 想
人生在此環境有何意味 一思及此則想兒之心如刀割針刺
不思飲食 近日竟覺身体不適 我兒若念母子之情可與首長
婉言請假幾日來家一趟 既能稍慰我心 又能辦理家務 稍住幾日
再返原地工作 我決不擱留 即使道路梗阻 亦要設法來家一趟
倘置之不理 恐我憂成不起之疾 迎时想見我面亦恐不易 望我兒
三思為要々々 別不多示
古曆六月十七日 母字

1 姥姥的信

時間是一九四八年，正值人民解放戰爭進入戰略決戰、中國歷史面臨轉折的關鍵時刻。

我母親本來兄妹三人，家在山東省招遠縣城裡村。姥爺喜讀詩書，自學中醫，遠近馳名，家裡靠著姥爺在縣城東關街（當時招遠縣的一條商業街）上開的一家叫「德裕厚」的藥店，過著還算殷實的生活。據母親講，姥爺樂善好施，經常接濟窮人，「吃虧是福」是老人家常掛在嘴邊兒的信條。

註釋

❶ 晉察冀邊區，抗日期間於山西（晉）、察哈爾、河北（冀）接壤的地區而建立的政權。

給我未來的孩子

張　梅

孩子，我首先希望你自始至終都是一個理想主義者。你可以是農民，可以是工程師，可以是演員，可以是流浪漢，但你必須是個理想主義者。

當你童年，我們講英雄故事給你聽，並不是一定要你成為英雄，而是希望你具有純正的品格。當你少年，我們讓你接觸詩歌、繪畫、音樂，是為了讓你的心靈填滿高尚的情趣。這些高尚的情趣會支撐你的一生，使你在最嚴酷的冬天也不會忘記玫瑰的芳香。理想會使人出眾。

孩子，不要為自己的外形擔憂。理想純潔你的氣質，而最美貌的女人也會因為庸俗而令人生厭。通向理想的途徑往往不盡如人意，而你亦會為此受盡磨難。但是，孩子，你儘管去爭取，理想主義者的結局悲壯而絕不可憐。

在貌似坎坷的人生裡，你會結識許多智者和君子，你會見到許多旁人無法遇到的風景和奇跡。選擇平庸雖然穩妥，但絕無色彩。

不要為蠅頭小利放棄自己的理想，不要為某種潮流而改換自己的信念。物質世界的外表太過複雜，你要懂得如何去拒絕虛榮的誘惑。理想不是實惠的東西，它往往不能帶給你塵世的享受。

因此你必須習慣無人欣賞，學會精神享受，學會與他人不同。

其次，孩子，我希望你是個踏實的人。人生太過短促，而虛的東西又太多，你很容易眼花繚亂，最終一事無成。

如果你是個美貌的女孩，年輕的時候會有許多男性寵你，你得到的東西太過容易，這會使你流於淺薄和虛浮；如果你是個極聰明的男孩，又會以為自己能夠成就許多大事而流於輕佻。

記住，每個人的能力有限，我們活在世上能做好一件事足矣。寫好一本書，做好一個主婦。不要輕視平凡的人，不要投機取巧，不要攻擊自己做不到的事。你長大後會知道，做好一件事太難，但絕不要放棄。

你要懂得和珍惜感情。不管男人女人，不管牆內牆外，相交一場實在不易。交友的過程會有誤會和摩擦，但你想一想，偌大世界，有緣結伴而行的能有幾人？你要明白朋友終會離去，生活中能有人伴在身邊，聽你傾談，傾談給你聽，就應該感激。

要愛自己和愛他人，要懂自己和懂他人。你的心要如溪水般柔軟，你的眼波要像春天般明媚。你要會流淚，會孤身一人坐在黑暗中聽傷感的音樂。你要懂得欣賞悲劇，悲劇能豐富你的心靈。

希望你不要媚俗。你是個獨立的人，無人能抹殺你的獨立性，除非你向世俗妥協。要學會欣賞真，要在重重面具下看到真。

世上圓滑標準的人很多，但出類拔萃的人極少。而往往出類拔萃又隱藏在卑瑣狂蕩之下。在形式上我們無法與既定的世俗爭鬥，而在內心我們都是自己的國王。如果你的臉上出現諂媚的笑容，我將會羞愧地掩面而去。世俗的許多東西雖耀眼卻無價值，不要把自己置於大眾的天秤上，不然你會因此無所適從，人云亦云。

在具體的做人上，我希望你不要打斷別人的談話，不要嬌氣十足。你每天至少要拿出兩小時來讀書，要回信寫信給你的朋友。不要老是想著別人應該為你做些什麼，而要想著怎麼去幫助他人。借他人的東西要還，不要隨便接受別人的恩惠。要記住，別人的東西，再好也是別人的；自己的東西，再差也是自己的。

孩子，還有一件事，雖然做起來很難，但相當重要，這就是要有勇氣正視自己的缺點。你會一年年地長大，會漸漸遇到比你強、比你優秀的人，會發現自己身上有許多你所厭惡的缺點，這會使你沮喪和自卑。但你一定要正視它，不要躲避，要一點點地加以改正。戰勝自己比征服他人還要艱巨和有意義。

不管世界潮流如何變化，但人的優秀品質卻是永恆的：正直、勇敢、獨立。我希望你是一個優秀的人。

其實爸媽也是裝的

鄭國強

十八號是你二十三歲的生日，接下來這一年你也即將大學畢業走上工作崗位，爸爸有些話想送給你。

先說一些一直以來你可能不知道的事。

你一定有印象，在你初一的某個晚飯時，我把性書（《金賽性學報告》）[1]放在桌上叫你拿回房間看。你媽說了句，鬼兒吊（小孩子）看這書幹嗎？還飯桌上拿出來，偷偷放你房間裡就是了。

當時你十分難為情地低下了頭。

後來我看到《錢江晚報》採訪你，你回憶這事時說，其實你是裝的，你六年級暑假就看過了。

我要告訴你，兒子，其實爸媽也是裝的。

你知道為什麼爸爸要在那個時候給你看性書嗎？是你媽早上洗到了你畫地圖的內褲，我們商量著是時候該給你性教育了。給你看這書，你媽事先是知道的。她就是怕你難為情，才裝自己也不好意思，好給你個台階下。

所以，以後你工作了千萬要記住，大人的心思你是看不透的，別老以為自己靈光，別人都是老嗨（傻）。人犯嗨（傻）的時候，往往自己不知道。

從小到大，對於你的愛好，爸爸從不干涉。

小時候干涉過一回，幹了爸爸這輩子最後悔的一件事，這個待會再說。

小學前你酷愛打麻將。你媽反對，我卻贊同，我覺得打麻將不僅讓你很早地學會了數數、加減和識字，而且還讓你分清左右，大大開發了你的智力。到了三四年級的時候，你已練就了能用手盲摸出所有麻將牌。逢年過節，你就給親戚朋友們表演。我覺得你很爭臉，你媽覺得很丟人，這樣下去你會變成賭棍。但事實證明，你現在對女孩子的興趣遠遠超過麻將。

後來你學國際象棋，你媽不同意，覺得下棋那是跟遛狗、釣魚配套的老年人運動。年輕人應該學畫畫。

後來你淘氣，沒去你哥那學畫畫，天天摸到文化宮打檯球。被你媽發現了，你媽很生氣，叫我去檯球店拎你回來。

我那次找你的時候，你正在幫老闆跟一中年人打香煙。老闆見了面誇你檯球打得相當好，收你當小徒弟，說你在這一帶打檯球很有名。爸爸確實不懂檯球，不知道老闆是說真的還是幫你吹牛，但爸爸聽了心裡還是很高興的。

但你媽不高興，覺得打檯球是小混混的運動，還不如讓你去幹老年人的運動。

於是就讓你學國際象棋去了。

後來爸爸知道丁俊暉以後，才悟過來原來打檯球還能這麼出息。如果時間能倒流，我願意做一次丁爸爸，就算你不是真的丁俊暉，爸爸認了。反倒現在，我心裡老覺得是不是把一檯球神童砸自己手上了？

後來你下國際象棋，半年後就拿了麗水市第一。爸爸很驚訝。覺得這次得吸取教訓，好好培養你下棋。結果不知道為什麼，你自己不要下了。你媽不同意，覺得這是一個特長應該繼續培養，以後拿獎了搞不好中考、高考可以加分。當時爸爸就諷刺你媽，不知道是誰以前說這是老年人運動，沒前途。雖然爸爸不知道你為什麼不願意繼續下，但是我覺得，既然你不願意了，逼你也沒意思。

如果國際象棋這事，我還能說服你媽的話，那麼你休學寫小說這事，真的讓我們家陷入了激烈的家庭矛盾。

有代溝，這很正常。你媽當初聽到你不想讀書想寫小說，快瘋了，罵你長這麼大就沒一次讓她省心過。也罵我，都是我不聞不問縱容你自由發展給慣的。她覺得，小說什麼時候都能寫，但讀書這玩意是不能停的，一旦休學在社會上混了一年，就直接成小混混不會回去讀書了。就算回去讀書，肯定靜不下心來考上大學。

我說，我相信你會的，因為你向爸爸承諾過只需要一年時間實現自己的理想，然後乖乖回去上課。

這個承諾的代價是我賭上了跟你媽的婚姻。你媽當時知道我支持你休學，鬧著跟我離婚，爸爸壓力很大。當然慶幸的是，你最後遵守了自己的承諾，用實際行動證明你沒有變成小混混，還是上了大學。

你當時質問你媽，為什麼不尊重你的理想？你現在長大了，再回過頭來換位想一想，我們兩父子尊重過你媽的理想嗎？

是的，你媽沒有理想。

我跟你媽結婚的時候，我就問過你媽的理想，你媽說，賺錢好好過日子唄，講什麼理想。你媽就是這麼傳統現實的小女人，幹的活是相夫教子，把自己的個人價值依附在家庭上。作為一個獨立的個體，她很可悲；但作為妻子和母親，她很偉大。

她只希望你能好好讀書，考上好大學，找到好工作，娶個好老婆，然後生個胖兒子，接著為你的孫子操心。這就是她全部的理想。而你休學後，讓她在一堆中年婦女們吹牛自家兒子考了第幾名時一點都插不上話。她覺得很沒面子，她就是那種活在別人眼裡的人，她是很累，但她一把年紀難不成我們倆還忍心強迫她改改價值觀嗎？

爸爸很理解你，休學那一年，你媽的整天嘮叨和長輩們苦口婆心的勸說讓你很煩躁，壓力很大。其實爸媽何嘗不是這樣。在朋友同事、親戚長輩面前，爸媽是不負責任的父母，沒有把你勸回正道。你奶奶還一直罵我毀了鄭家唯一的香火，怎麼對得起你死去的爺爺！

不過爸爸不後悔自己的這個決定，因為我覺得這對於你的人生來說，是一次很好的教育。它讓你明白在這個世俗的社會，堅守理想的代價不僅僅需要一個人，還需要一群人。

爸爸可以毫不臉紅地吹牛說，是爸爸的強大支撐了你實現理想。

我希望你以後也能成為這樣的爸爸。

爸爸之所以能理解你的理想，懂你那句「很多理想年輕的時候不堅持，老了就力不從心了」，是因為爸爸就是活生生的力不從心的例子。

我二十九歲娶你媽，三十歲生了你。結婚的時候，房子住的是你媽單位分的，你媽的工資是我的四倍。我汽校畢業的，但不會修車不會開車，我只會拍照。因為窮，當時家裡的姐妹們甚至你奶奶都看不起爸爸，認為爸爸不務正業，拍照發不了大財。

在一群用錢來衡量人生價值的老嗨（傻人）面前，我懶得搭理她們，活在自己的世界裡。靠著一百二十塊的海鷗照相機，爸爸拍出了這輩子最優秀的作品，在國內外拿獎，真的養活了自己。

直到碰到你媽，有了你以後，我知道光養活自己是不夠的，還得養家。雖然你媽絲毫不介意她賺錢來養家，但是我介意。爸爸沒有抵擋住世俗的誘惑，妥協了，後來放下了照相機開舞廳，開冷飲店，開餐館，我安慰自己，賺了錢還可以回來繼續實現理想。

但是爸爸低估了錢的力量。

錢讓我們住進了大房子，錢讓別人看得起我們，同樣，錢也糟蹋了爸爸最好的年華。爸爸曾經一度鑽進錢眼裡，除了賺錢，對別的一點都不感興趣。等到後來覺得賺夠了錢，該去重新拾起理想的時候，我悲哀地發現，已經找不到感覺了。我覺得自己很失敗，難道我這一輩子勤勤懇懇努力下來就只是為了讓當年的海鷗變成現在的尼康嗎？就是為了當年睡街頭拍照變成現在住高檔酒店去拍領導開會嗎？

爸爸曾經一度把自己的理想寄託在你身上。

爸爸給你取名叫鄭藝，就是希望你以後搞藝術。爸爸在你小時候，經常給你介紹照相機，看攝影雜誌，但你只對麻將感興趣。爸爸就強迫你每天聽我給你上半小時的攝影課，最後的結果是你把柯達傻瓜機該裝膠卷的地方拿著裝水。爸爸很生氣，當時就給了你一巴掌。這就是爸爸最後悔的事。

在這個社會，理想太容易妥協，慾望太容易放大。

年輕的時候，爸爸立志要成為全世界最厲害的攝影家，後來退到成為全中國最厲害的，再後來退到全中國最厲害之一，再退到能在浙江省小有名氣就好。

而慾望呢？

最開始爸爸沒有慾望，拍自己喜歡的，拍自己想拍的東西；後來覺得為了養活自己拍點自己不想拍的也沒事；再後來為了能升官，多拍拍領導想拍的未嘗不可；再後來只要能賺錢，不拍照也行。

原則（底線）就是這麼一退再退，當退到某一天，我拿著相機賣力地拍著領導講話，你媽打麻將拿著《大眾攝影》❷墊桌腳，我就突然很鄙視自己。我這十幾年都在幹什麼啊？

所以，當你姨媽很鄙夷地說：當小學老師能賺幾個錢？還不如跟著她開店倒房子。你很幼稚地說：賺錢不是我的理想。當你媽說你文筆很好，應該努力進入黨政機關工作，考公務員當秘書的時候，你很無奈地說：《人民日報》和新華社的文章我寫不來。我聽了就哈哈大笑，只有她們倆還老嗨（傻）地繼續跟你說，寫不來可以學嘛，多工作幾年就會寫了。

爸爸不理解你為什麼會喜歡上小學老師這個工作，就像我很驚奇你怎麼能想得出經典麗水話裡那麼多的黃色小廣告。不過爸爸喜歡看你投入到自己喜歡的事情中去，並過得快快樂樂。就像爸爸對著《老白談天》說的那樣，你愛幹嘛幹嘛，你想幹嘛幹嘛，自由發展，爸爸全力支持。

隨著年齡的增長，你的很多想法會變得更成熟。比如不是所有妥協都是失敗，有時候妥協是為了更大的堅持。

試想，如果你只是一個一線的小學老師，你最多只能改變一個班的孩子。但如果你是一個校長？一個教育局局長？自己開個學校？你想一想會不會造福更多孩子呢？

當然，爸爸不要求你二十幾歲就明白這些道理。如果一個人從二十歲就開始妥協，做自己不喜歡的事只為了一心往上爬，那麼到了爸爸這個年紀的時候，他絕對妥協成了混蛋。

爸爸童年裡的理想是被人強加上去的。像爸爸現在跑步的時候經常呼一些口號，你覺得很好笑，比如團結緊張、嚴肅活潑、提高警惕、保衛祖國。但是爸爸當年喊這些的時候可是正兒八經的。所以上次爸爸聽你發表理想主義的長篇大論時，爸爸很震撼，你真的不是小孩子了，有了自己的想法。爸爸當時說你不切實際，那是爸爸這個年紀的人本能的回答。後來爸爸睡覺前想了想，為什麼很多人一聽到理想主義的生活，連試都沒有試過就斷定自己做不到呢？甚至還要打擊去試圖這麼做的人。爸爸不知道為什麼一不小心就成了這樣的人。

爸爸知錯就改，現在衷心希望你理想主義地活一輩子，也祝福你找到一個同樣理想主義的女孩子。如果將來你妥協了，千萬別以妥協為榮，也別給自己的妥協找藉口，要懂得鄙視自己。只有不斷鄙視妥協的自己，才能堅守住做人的原則。只有不斷反省夢想的價值，才不會讓暫時的妥協變成永遠的放棄。

唯獨房子，一個男人要靠自己掙。最近你媽吵著要我一起拿錢出來買房子。她的理由是，一個男人結婚前父母不給他準備房子是很沒面子的事。我已經明確告訴你媽了，你將來的房子，我一毛錢不會出，出得起也不會出。我覺得兒子買房不是父母的責任，就算有錢也不出錢給你買房也不是什麼丟人的事。

但是如果你要創業，只要你有一個合適的想法，爸爸做你的股東；只要你想出國留學，爸爸願意傾家蕩產在你身上投資。

唯獨房子，我覺得一個男人要靠自己掙。要麼你自己一邊理想主義地生活，一邊掙夠買房子的錢；要麼就為了房子妥協你的理想；再要麼就有本事找到一個跟你一樣理想主義的人壓根不需要買房。這種考驗能讓你人生變得豐富，並且幫助你長大。

還有順帶交代了後事。如果我先你媽走，那麼我希望你能把你媽接來跟你一起住，就像奶奶現在住我們家一樣；如果你媽先我走，我決不會跟你住，我雇個保姆去大港頭租個房子一個人過。

我不需要你來贍養，你過得開心，能成家立業養好自己的孩子就是對我，也是對鄭家最大的報答。如果以後有孫子，而且他喜歡攝影，這可能是我住到你家的唯一理由。

最後，從今年開始，以後每年給你爺爺上墳時，你走在最前頭。如果你以後有了自己的房子，那麼家裡得供著你爺爺，租的房子就算了。

嘮嘮叨叨寫了一疊，最後還得肉麻一下，你是爸爸的驕傲。

生日快樂！一切順利！

二〇一〇年十二月

註釋

❶《金賽性學報告》（共兩冊）由美國學者阿爾弗雷德·金賽等人所著，兩冊分別探討男性和女性的性行為。

❷月刊《大眾攝影》由中國攝影家協會於一九五八年主辦，面向廣大專業或業餘攝影者。

給剛入大學的女兒九條忠告

吳　輝

寶貝，光陰似箭，日月如梭。襁褓中咿呀學語，庭院裡蹣跚學步，都早已是很久以前的事了。不知不覺你已長大，轉眼就要上大學了。按理說，十八歲就是成年人，我本不該有什麼擔心。只是你自從出生以來，從來沒有離開過家，我總擔心你在外面照顧不好自己。你說不希望在本地上大學，我理解，也支持。外面海闊天空，你可以自由翱翔。

你很討厭說教，但在你外出求學之前，我仍要囉唆幾句。對你未必有效，對我卻是安慰。

關於道德。做一個有道德的人，這個說法並不新鮮，我主要是想說怎麼做的問題。道德首先是一種實踐，善良不能僅存於內心。記得有一次坐公交車，我主動給一位老人讓座。當時你和君姐都說，沒想到我會給人讓座。我問你們，老師不就是這樣教你們的嗎？你們說是，只是覺得做的時候有點不好意思。我理解年輕人的這種心理，我第一次幫助別人時，也很在乎別人的眼光。現在想來，根本不必。一件好事，不存私利，有何擔心，怕啥議論？生活中有很多小事，只要信手拈來，就是一種善行。當你可以幫助別人時，不要吝嗇。世界將因你的舉手之勞，變得更加美好。爸爸受過別人的恩惠，我們要懂得反哺社會的道理。

關於專業。專業的好壞是相對的、辯證的。今天的好專業不等於永遠的好專業。當大家都覺得一個專業很好時，這個專業離毀滅就為期不遠。不要用利益的標準來衡量專業好壞。挑專業就是挑興趣，專業再熱，學科再強，你不喜歡，沒有意義。興趣的標準更穩定，利益的標準不長久。做自己喜歡的事，看自己喜歡的書，是人生一大享受。挑你喜歡的，學你熱愛的，工作當有更多快樂，生活會有更高品質。任何專業，只要學得足夠好，不愁得不到別人不曾得到的東西。好比旅行，只要走得足夠遠，就能看得見別人未曾看見的風景。人類社會不斷發展，專業分工更為精細，但專業分工不能分得井水不犯河水。各種專業都是解釋世界的方式，廣泛涉獵，你會更具智慧。

關於知識。讀書無用論是存在的，沒有讀書也發橫財的人也是有的。但個案不能說明問題，普遍現象才有說服力。稍懂道理的人就知道，即使用金錢衡量，知識作用也不可忽視。不然，著名跨國公司對智力因素的高度重視就無法解釋。只要做一個簡單的統計，就會發現知識與收入的正相關關係。讀書到底有沒有用，關鍵是如何看待有用，不能只用「金錢」這一個標準。知識使人生擁有更多可能。知識決定一個人的氣質、趣味、眼界、欣賞水平、價值觀……這些都是影響生活質量的關鍵因素。這些都是知識薰陶的結果，而不是金錢交換的產物。如果你大學畢業後，能認識到還有很多更有意義的生活方式，那這個大學就沒有白上。

關於閱讀。大學與高中最大的區別是，自由很多，揮霍自由的人也很多。希望你能利用這難得的自由，多讀些書。現在很多年輕人不喜歡閱讀，他們可以花很多時間逛街、淘寶、打遊戲、網絡聊天……就是不肯花時間安安靜靜地閱讀。我曾給學生寫過一條讀書寄語：「趁年輕，認認真真跟好書來一次熱戀。」我強調趁年輕，走上社會你就知道，抽出時間來讀書是多麼不易。我還強調讀好書，有些書確實害人，思想貧乏，內容平庸。讀書像交友，要仔細甄別，非善勿近。一個簡單的方法是讀經典，經典是時間選擇的產物，讀者挑剔的結果。一本書之所以成為經典，肯定有它的道理。只要是經典，只要你想讀，都可以去讀。

關於競爭。如今這個年代，需用實力說話。規則應該會越來越公平，競爭肯定會越來越殘酷。爸爸是個倔強的人，辦事不喜歡求人，也很少求過別人。當初我從小學調到初中，是因為校長覺得我有教初中的水平；縣城的學校招聘六名老師，我考了第三名，可沒有被錄取，沒有關係，我不求別人，第二年我就考上了研究生，離開了那個地方。不靠人情關係，就靠本事競爭。雖然這樣，比較辛苦，但於外能贏得別人尊重，於內能得到心裡安穩，多好！你要知道，一個人如果不想過低三下四的生活，就必須有能讓自己挺胸抬頭的資本。大學是個重新洗牌的地方。抓住機會，提高自己。直面風雨人生，迎接時代挑戰。

關於漂亮。這是個講究感官刺激的時代，給人的視覺感受很重要。愛美之心，人皆有之，女孩子就更是如此吧。人靠衣裝，佛靠金裝。人要懂得修飾自己，遺憾的是，這方面我沒有什麼經驗可以傳授給你。你學習之餘，不妨適當看看修飾打扮方面的書籍或時尚雜誌。適當買些新衣服，戴首飾點綴，用化妝增色，都是可以的。當然，漂亮、有魅力不僅僅是指外表。言談舉止，會傳遞一個人的風度；待人接物，可洩露一個人的修養。內外兼修很重要，我可不希望你追求花瓶式的漂亮。再說，我們家裡還沒有一個人有當花瓶的資本。知識是最好的化妝品，良好的素養會讓人更有魅力，這是一種歲月都無法剝奪的吸引力。

關於戀愛。愛情很美好，爸爸希望你能找到意中人。孩子，只要你幸福，我的一生就圓滿了。戀愛很嚴肅，對待須認真。感情不是拿來玩的，恩愛不是用來秀的。真愛深沉而非淺薄，真心無私而不貪婪。你的愛人不是你的私有品。你可以想他，但不要輕易打擾他；你可以愛他，但不要牢牢限制他。戀愛會讓人做出各種傻事而不自知，你是女孩子，要懂得潔身自好，什麼事可以做，什麼事不可以做，在去約會的路上就要想清楚。感情失敗，女生總要傷得深一些。男孩追女孩，花樣繁多，攻勢凌厲，有的讓人十分感動。愛的決定應該基於平時細緻的考察，而不是一時的衝動。希望你將來的男朋友正直、有涵養。如果你們是認真的，我會祝福你們。

關於交友。大學是讀書之所，也是交友之地。人的一生一定要有幾個交情過命的朋友。幸福人生不是取決於金錢財富，而是取決於社會關係。朋友是廣泛的社會關係中的一種。快樂有人分享，你會更快樂；悲傷有人分擔，你不會太悲傷。各地都有人值得你牽掛，到處都有牽掛你的人，你會覺得世界充滿陽光，心裡如沐春風。世界上沒有無緣無故的愛，也沒有無緣無故的恨。希望別人對自己好一點，首先就要對別人好一點。大學宿舍，數人一寢，大家遠道而來，是前世定下的相遇。同處一個屋簷下，低頭不見抬頭見。遇事能讓則讓，有難可幫就幫。予人玫瑰，手有餘香。

關於時間。時間最公平，每個人的一天都是二十四小時。時光最易得，但也最不為人所珍惜。生活中常常聽人說，要把時間補回來。時間是補不回來的，浪費了就是浪費了。不要總覺得自己還年輕，幹什麼事都覺得還早。有道是，「記得少年騎木馬，轉眼已是白頭人」。大學生的時間往往會無謂地消耗在兩個方面，一是社團活動，二是上網。適當參加社團活動，廣交朋友，增長見識，確是好事。但太多的課外活動，會使時間以各種光明正大的名義被浪費。網絡很便利，網絡也很誤事。電腦、手機讓你時刻與外界保持聯繫，也讓你時刻受到外界干擾。不妨在適當的時候，把網絡關閉，讓時間花在更有意義的事情上。

寶貝，說一千道一萬，都不如你親自去實踐。爸爸不能教會你所有，也不能陪伴你一生。時光流逝，生命不會常在；總有一天，別離會成永遠。希望這些建議能有益於你。無論何時何地，都要快樂幸福。你若安好，我無論在哪裡，都是天堂。

二〇一四年八月於南昌

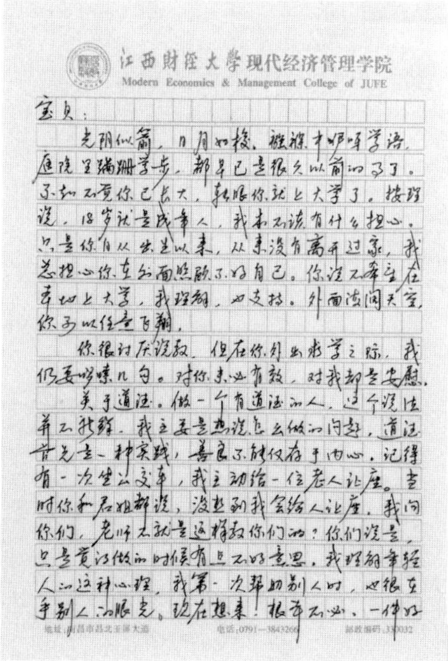

江西財經大學現代經濟管理學院
Modern Economics & Management College of JUFE

宝贝：

光阴似箭，日月如梭。稚嫩中咿呀学语，庭院里蹒跚学步，都早已是很久以前的事了。不知不觉你已长大，转眼你就上大学了。按理说，18岁就是成年人，我本不该有什么担心。只是你自从出生以来，从来没有离开过家，我总担心你在外面照顾不好自己。你选不离家在本地上大学，我理解，也支持。外面海阔天空，你可以任意飞翔。

你很讨厌说教，但在你外出求学之际，我仍要啰嗦几句。对你未必有效，对我却是安慰。

关于道德。做一个有道德的人，这个说法并不新鲜。我主要是想说怎么做的问题。道德首先是一种实践，善良不能仅存于内心。记得有一次坐公交车，我主动给一位老人让座。当时你和表姐都说，没想到我会给人让座。我问你们，老师不就是这样教你们的？你们说是，只是觉得做的时候有点不好意思。我理解年轻人的这种心理。我第一次帮助别人时，也很在乎别人的眼光。现在想来，根本不必。一件好

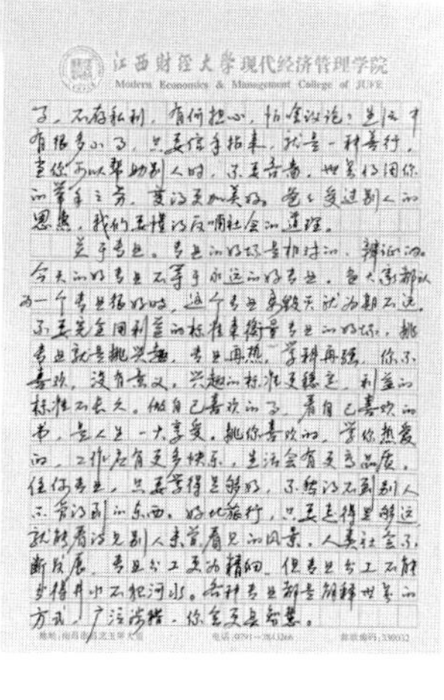

江西財經大學現代經濟管理學院
Modern Economics & Management College of JUFE

事，不存私利，有何担心，怕会议论？生活中有很多的事，只要信手拈来，就是一种善行。当你可以帮助别人时，不要吝啬。世界将因你的举手之劳，变得更加美好。受过别人的恩惠，我们要懂得反哺社会的道理。

关于专业。专业的好坏是相对的、辩证的。今天的好专业不等于永远的好专业。当大家都认为一个专业很好时，这个专业衰败就为期不远。不要完全用利益的标准来衡量专业的好坏。挑专业就是挑兴趣，专业再热，学科再强，你不喜欢，没有意义。兴趣的标准更稳定，利益的标准不长久。做自己喜欢的事，看自己喜欢的书，是人生一大享受。挑你喜欢的，学你热爱的，工作后有更多快乐，生活会有更高品质。任何专业，只要学得足够好，不愁得不到别人不曾得到的东西。好比旅行，只要走得足够远，就能看得见别人未曾看见的风景。人类社会不断发展，专业分工更为精细。但专业分工不能变得井水不犯河水。各种专业都是解释世界的方式，广泛涉猎，你会更具智慧。

1 2 吳輝給女兒的信手稿（節選）

記住陌生人的好

唐池子

親愛的小寶貝：

媽媽知道你是踩著花朵的腳步來的，要不，這迎接你的一路上怎麼會充滿甜甜的馨香呢！

每次媽媽就像童話裡的那個女孩，摸索著探出有些怯然的腳步，誰能料到那怯然的腳下會踏出一朵玫瑰。

一朵，一朵，那些美麗的花朵就盛開在我們身邊，像一個個人間的奇跡。那甜甜的馨香呵，就這樣日日充滿媽媽的心間，讓媽媽的心懷著怎樣的感懷感動去面對這個全新的世界。

那次去醫院例行產檢，你在媽媽肚子裡又健康又安全，媽媽好開心。回家的時候，天有些暗下來，看來馬上要下大雨了。上了一輛出租車，司機叔叔說：「可能要下雨了，但願這雨在你到家後再下下來。」心裡有點感動，這位叔叔真為我們著想啊。叔叔的車開得很穩，大概為了讓寶貝你在媽媽肚子裡睡得更安穩吧。天卻是越來越暗了，轉眼突然雷電交加，下起了瓢潑大雨，來勢迅猛的雷陣雨！

臨近家門口的時候，雨勢分明小了很多。出租車進了小區，穩穩地在我們樓道的門口停了下來。媽媽正準備付錢，冒雨下車。離家只有一段石階樓梯的距離，這個險媽媽必須得冒。司機叔叔說：「錶我打好了，你還是先等等，雨停了再下車吧。」媽媽吃了一驚，那意味著司機叔叔這段時間做不成生意，坐在車裡陪著我們，誰知道這雨會下多久呢。

「那多不好意思，沒關係，我小心走，還是不耽誤你做生意了。」媽媽過意不去，真的很感動，但是怎麼能過分要求呢。

可是，司機叔叔說：「也不在乎這一時半會，你要是滑倒了，我倒過意不去了！你現在可是重點保護對象。」好一個「重點保護對象」，腦中頓時閃過呆萌萌的國寶大熊貓！媽媽笑起來，好溫暖，暖流在車廂內無聲流淌。窗外的雨仍在嘩嘩地下著，車內靜悄悄的，靜默，深切。你，我，還有那個善良的司機叔叔，靜靜的，只有嘩嘩的雨聲。

過了好一會兒，雨勢在一點點減弱，直到雨完全停下來，叔叔才放心讓媽媽下車。下車時，媽媽抬腕看了手錶，離下車的時間過去二十分鐘了。

親愛的寶貝，在你還未來到這個世界之前，已經有一個好心的叔叔，願意在雨中為你靜靜等待二十分鐘。告訴我我的寶貝，若你說你不是踩著花朵的腳步來的，媽媽怎麼會相信呢！

還有一次也是因為雨。那段時間媽媽堅持自己買菜做飯，這樣既能鍛煉身體，還能吃得更多更香。那天，依然步行去菜市場，順便去郵局給外婆寄信，當然是告訴她我們都平安，讓她勿念的內容。（做了媽媽的人會更加明白自己媽媽當年怎樣的不容易）才從郵局出來，發現天已經暗了，去菜市場大概還有十五分鐘的路程（以媽媽平時的步速是五分鐘）。為了你的安全，媽媽現在是以蝸牛的步速行進的。心裡一邊默默祈禱雨晚點降臨，腳下踩著竭力不慌不忙的步子，往菜市場走。離菜市場大概還有三百米距離的時候，雨已經下起來。不大，雨絲亂飛，但是可以感覺一場暴風驟雨近在咫尺。許多人都在雨絲中慌慌地跑，忙亂地收撿菜攤，壓著頭跑進菜市場裡躲避。

媽媽不能跑，不能逃，媽媽只能按照蝸牛的節奏，向前走。哪怕趕上大雨淋個透濕，也比重重地摔在地上好。兩者相較取其輕，為了你的安全，媽媽現在只能面對現實。

身後響起了急急的嘩啦嘩啦的板車聲，避讓著讓車過去，沒想到那車卻在身邊戛然停下。一個鬍子叔叔對著媽媽喊：「快上來呀，我推你過去，馬上要下暴雨了！」他的聲音急急的，有點粗，形勢緊急下，媽媽聽出這個陌生叔叔的擔心和爽直。他的命令似乎不容置疑，雨打在臉上又涼又痛，大雨眼看著就要砸下來。媽媽小心地坐在那個板車上。「抓牢了！」還是那又急又粗的聲音。媽媽抓牢鐵手柄，板車飛快地朝菜市場駛去。剛進入菜市場屋簷的那個瞬間，真是相差百分之一秒，筆直的雨柱立刻傾瀉而下。沒有多一點，也沒有少一點。多麼幸運！

媽媽慶幸得哈哈笑起來，回頭看那個陌生的鬍子叔叔，那一臉汗水、雨水的鬍子叔叔也在開心地笑。就在這時候，突然察覺到了這個聲音又急又粗的陌生人身上的善良和純樸，那善良和純樸陡然在他身上產生了一種說不出來的柔情。

親愛的寶貝，那只是這個菜市場裡一個再普通不過的賣菜小販，卻用他的行為教會了媽媽很多，善良、愛、真誠……

後來，感激的媽媽一定要買一隻三黃草雞（菜市場的熟食店買的）送給他，可是，鬍子叔叔無論如何也不要，他好像很害羞的樣子，不過那害羞也是急急的，粗粗的。看我執意要給他，他一急，突然抓起一件藍色的雨披往頭上一套，轉身就往外跑，沒等我反應過來，早已消失在茫茫白雨中。

剩下一個呆呆的媽媽，捧著那隻又暖又香的三黃雞，被滿心的感動浸潤得無法動彈。

親愛的寶貝，在你還未來到這個世界之前，一個陌生的鬍子叔叔已經把他質樸的關切和無言的關愛，輕輕地推到你的面前，我的寶貝，若你說你不是踩著花朵的腳步來的，媽媽怎麼會相信呢！

說真的，自從懷你，媽媽變成了另一個人。你在媽媽肚子裡一天天長大，媽媽的肚子也一天天高起來，身體一天天變得笨重，後來甚至手腳都高高地腫起來，走路氣喘吁吁，做事力不從心，晚上睡覺腰酸背痛。任何一個準媽媽都會從未有過地如此需要被保護被關懷，這是媽媽人生中最脆弱也是最柔軟的時期。只要獲得一點點關愛，就會感念於心，刻骨銘心。

親愛的寶貝，媽媽只想對你說，你即臨的這個世界，有黑暗有風暴，有欺騙有狡詐，有痛苦有悲傷，就像這兩場突臨的暴雨，這些你無以逃避必須面對；但是媽媽更想讓你明白，這個世界有善意有真誠，有快樂有感動，就像這些來自陌生人的好，來自親人朋友的愛，它們是這個世界永在的光。即使今天這個世界再不太平，來自平常人的善意和光亮，也足以讓我們相信，我們生活的這個世界不是冷漠無情的荒蕪曠野，而是有情有義的盎然春野。

親愛的寶貝，為你，為自己，為這個世界的每個人，再次深深俯身感恩。媽媽想把這份默默的感動湧流於你，讓尚在母胎中的你也生出一份善念、一份慈憫、一份對世界信任的免疫力。希望這份來自母體的免疫力，讓日後的你更加堅強、善良、美好。

親愛的寶貝，親愛的樂寶貝，我踩著花朵腳步而來的小天使呀，媽媽也希望這個世界因你的腳步而清香盈動，日益美好。

祝福你，我的寶貝！

你的媽媽　唐池子

二〇〇八年八月十五日晚

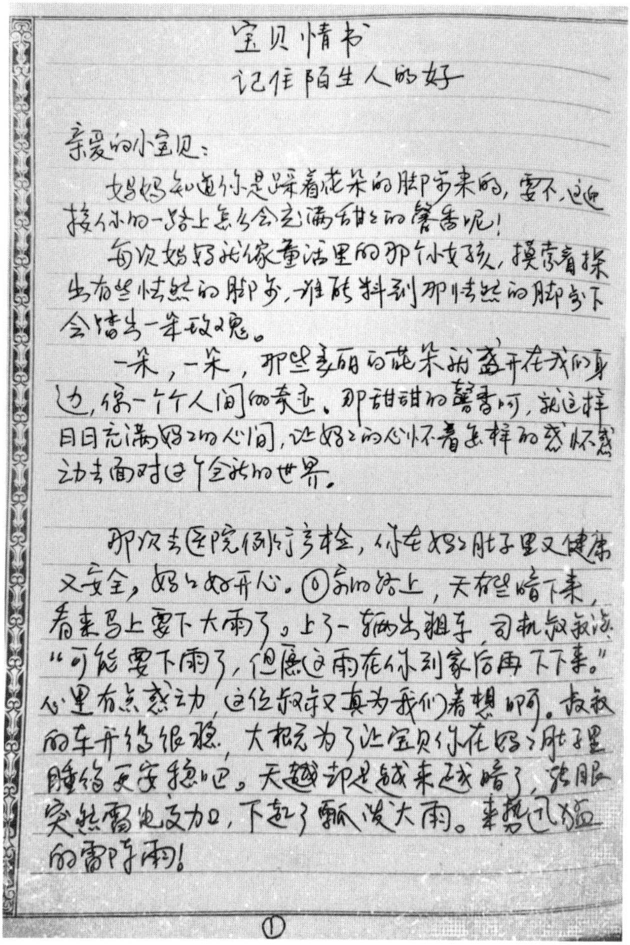

宝贝情书

记住陌生人的好

亲爱的小宝贝：

妈妈知道你是踩着花朵的脚步来的，要不，迎接你的一路上怎么会充满甜甜的馨香呢！

每次妈妈就像童话里的那个小女孩，摸索着探出有些怯然的脚步，谁能料到那怯然的脚步下会绽出一朵玫瑰。

一朵，一朵，那些美丽的花朵就盛开在我们身边，像一个个人间的天使。那甜甜的馨香啊，就这样日日充满妈妈的心间，让妈妈的心怀着这样的感怀感动去面对这个全新的世界。

那次去医院例行产检，你在妈妈肚子里又健康又安全，妈妈好开心。回家的路上，天有些暗下来，看来马上要下大雨了。上了一辆出租车，司机叔叔说"可能要下雨了，但愿这雨在你到家后再下下来。"心里有点感动，这位叔叔真为我们着想啊。叔叔的车开得很稳，大概是为了让宝贝你在妈妈肚子里睡得更安稳吧。天却是越来越暗了，转眼突然雷电交加，下起了瓢泼大雨。来势凶猛的雷阵雨！

①

1 唐池子給未出生女兒的信（節選）

親愛的女兒

娜彧

親愛的，昨天我們家買了一些花，在陽光下真的很好看，這使得我不禁想要和你聊聊許多美好的東西：比如愛情，比如友誼，比如藝術，比如美——聊到哪裡算哪裡吧。

你現在十八歲，花樣年華，所以我們就聊聊愛情吧。愛情這玩意呢，因為關心因為付出因為享受因為愉悅，所以確實是美好的，這也是文學藝術永遠不會結束的主題。你上次說你目前還沒有打算談戀愛，只想好好學習。不錯啊，那是因為你還沒有遇到令你關心、付出、享受、愉悅的男孩子，但總有一天會有那樣一個男孩子。媽媽只是希望你的心智足夠成熟，遇到一個真正讓你開心、愛護你的男孩。當然，這種過程並不都是幸運到一兩次戀愛就能遇到，所以估計也許你也會遭遇失戀、分手和被分手。這些都是特別正常的，就像你小時候某個階段特別喜歡的玩具，在另外一個階段碰都不願意碰是一樣的；也像你看中一雙鞋子心儀了很久終於買來，但是穿了幾次發現不合腳一樣。人既然有一時衝動就會有後悔的權利，不要因為某些外在的緣故而讓自己痛苦，無止境地遷就對方，尤其是在結婚之前。當然，每個人都有自己的毛病和缺點，反省自己也很重要。反省是七種智商裡的一種，經常反省自己的人不會總是抱怨客觀因素，他們會首先發現自己的問題然後改正。但這種反省大都應該是用在比較理性的地方，比如工作、學習、待人接物。愛情始終是不那麼理智的，但是好的愛情會讓你提升自己、讓自己更加值得對方去愛，好的愛情也會讓你更加愛自己。在愛情中一切都應該是美好的，所以她才會成為藝術永不過時的話題。如果愛情中有各種互相指責互相要求，那麼也許就表示實際上愛情已經結束了。結束了的東西沒有必要再挽留，因為沒有愛，人是很難改變的，改變他人更難。

因為愛情的最終結果大概就是婚姻，所以我們也來談談婚姻。其實愛情比婚姻簡單很多，你只需要享受愛和被愛。而婚姻中添加了很多沒有愛情也能在一起的因素：責任、孩子、雙方的親人，婚姻是複雜的需要足夠心智的——為了讓以後的婚姻不至於太多忍耐和不開心，所以我覺得找一個和你的價值觀（容貌也很重要，但絕不能只是容貌）、你的教養、你的眼界甚至你的習慣相似的對象非常重要。這當中最重要的是價值觀，性格、教養、習慣都是價值觀的產物。價值觀就是你認為什麼是有價值的。比如：如果你認為面子是有價值的，那麼你就會遵循別人的眼光去生活並不管自己的內心要求，或者說你永遠不會有內心因為你永遠生活在別人的評價之中。

很多人都是這樣的，中國文化中值得反省的地方也在這裡：忽視了活生生的人的幸福而將一些所謂的「孝順、忠義、貞潔」放到了前面，所以你看到很多地方「重死不重生」，老人死了大操大辦顯示孝順，實際上活著的時候理都不理；過去的女人如果丈夫死了，哪怕女人剛剛嫁過去也不能改嫁，因為「好女不嫁二夫」而忽視了一個活生生的花樣年華的女孩一生的幸福；為了顯示孝順，中國文化裡有「孝順」，我們有「臥冰求鯉」這樣的故事：說他媽媽生病需要吃鯉魚，可是大冬天的怎麼辦，冰很厚，於是兒子就自己睡在冰上讓冰化了捉河裡的鯉魚。如果你被這個故事感動了，那麼說實話你便會很容易被那些所謂的「道理」洗腦；如果你覺得很好笑，為什麼不用斧頭之類的把冰破了，很簡單的事情啊，這便是你有了現代理念。這種理念是建立在現代技術基礎上的，也很容易被人忽悠。如果你進一步思考，為什麼古代會那麼想，那麼恭喜你，你便有了自己的思考能力。思考能力對一個人非常重要，是你不會被人牽著鼻子走的關鍵。

哦，天哪，我本來想跟你談談愛情，然而談了這麼多，其實也不是沒有關聯的，你這麼聰明，我覺得我只需要隨便聊聊就好，你現在即便不懂，在某個時候也許你會突然想起來你媽媽的一些話，或者有用。

我從微信發給你看看我家的花兒，她們開得特別美；還有好好，這個小臭貓好像又長大了不少呢，黏人的習慣卻絲毫沒有改變。

健康快樂【！】

老媽

二〇一七年十一月二十七日

孩子，在每個年齡做該做的事情就很好

邴琴

親愛的恩政：

十三歲的你已經跟我一般高了。你像一個已經正式探入生活的獨立人，開始思考很多問題。你曾問過我人生的意義是什麼？我說了很多，可是也許那一大堆話裡沒有一句是答案。

很明顯，你的每個方面都比我要好很多。包括你對未來有設想，一直堅持自己的理想。所以，你的學習，無需父母過多操心，你已經掌控好了你目前想做好的事情。這在同齡人中算是難能可貴的。尤其是為了能讓你保證足夠的睡眠，我們為你選擇了一間離家近但非常普通的中學。在這裡，你要在同學的喧嘩聲中保持克制好好聽講，你也做到了，做得非常棒。

放在人生中，這是關於環境干擾的一課。就像我們一再強調的，沒有盡如人意的真空生活，每個人都要在浮躁複雜的正負能量中做一個清醒而不墮入泥沼的人。

在不可避免的求學生涯中，你盡職盡責地做到了優秀。我和你爸爸特別期望你能學業優秀，在你感興趣的專業領域獲得樂趣。這個目標不僅是為獲得一張文憑，也不僅是為獲得這張文憑所付出的努力，而是在這番努力中，你找到了你來到這個世界的原因，這個原因本身能夠讓你快樂。

當然，人生在很多時候是沉重的。但，是否沉重也要取決於你怎麼看待，怎麼處理。該競爭的時候競爭，該放手的時候放手；拼〔拚〕的時候不遺餘力，放的時候不留遺憾。關於這些，應該是我們以後要討論的。

時至今日，我和你爸爸不曾後悔的事情就是為你保留了一個完整快樂的童年。這麼多年中，我們沒有讓你去上過什麼補習班和特長班。從你會走路會跑的那天起，你都是自由的、快樂的。儘管這讓很多人覺得我們讓你輸在了起跑線，可是，人生那麼長，我們希望你能以無憂無慮為開端邁開第一步。

該玩的時候盡情玩耍，該學習的時候好好學習，該工作的時候努力工作。該哭的時候哭，該笑的時候笑。不要顧忌別人的眼光，不要盲目順從大多數。用自己的眼睛去觀察，用耳朵去傾聽世界，好好用自己的心去體會。做一個有思想、有辨別能力、會思考的獨立人。

這個世界也沒有什麼完美，就像你經常給我講的相對論一樣，像相對靜止與絕對運動一樣，沒有純白純黑，沒有絕對的好壞。我不希望你是一個過於追求完美的人，當然這不意味著我們要在為人處世中失去標準。我更不希望你是一個過於愛憎分明的人，當然這也不是讓你放棄該堅持的原則。

更加的，我不想讓自己變成一個愛講空乏〔泛〕大道理的媽媽。但是，這已經是一個失去書信的時代了，我並沒有什麼機會對著你長篇大論地嘮叨。無論你長多大，你都是我的寶貝，儘管你已經不允許我在馬路上拉你的手，禁止我親你的額頭。可是，親愛的寶貝，無論你長多大，我總記得你剛出生時被我抱在懷裡的那團柔軟纖弱。

好好長大吧，等你長到一米八，我仰頭看你的時候，看到的仍然是我整個人生的全世界。

願你一切都好。

永遠愛你的媽媽

二〇一八年三月二十二日

1 邴琴家族照片，攝於 1960 年。

一位父親給女兒的最後一封信

邱文周

可愛的女兒：

爸爸和你玩過好多次捉迷藏的遊戲，每次都被你一下子就找了出來。你找不到的時候，爸爸就自己走出來。不過這一次，爸爸決定藏很久很久。

你先不要找，等你十四歲（還要吃完十次蛋糕）的時候，再問媽咪，爸爸藏在哪裡，好不好？

爸爸要藏這麼久，你一定會想念爸爸，對不對？不過，爸爸不能隨便地跑出來，不然就輸了。如果你還是很想讓爸爸出來，那麼，爸爸就會變魔法出現。因為是魔法，不是真的出現，所以不犯規，爸爸不算輸。

爸爸的魔法是：趁你睡覺的時候，跑到你夢裡大玩遊戲；在你畫圖畫爸爸的時候，不管好不好看，你覺得是爸爸，就是爸爸；當你拿爸爸的照片看時，爸爸也在偷偷地看你……

要記得，爸爸一直都陪著你！你已經是四歲的大姊姊了。爸爸要拜託你一件事，要你照顧和孝順爺爺奶奶和媽咪，看你是不是比爸爸做得好？你怎麼做才好，媽咪會告訴你的。

爸爸猜想，我們這一次捉迷藏玩這麼久，爺爺、奶奶、媽咪有時候看不到爸爸，他們一定會偷偷地哭。偷偷地哭就是犯規、就是失敗。他們偷偷地哭，你就要逗他們笑，不然遊戲輸了以後，他們一定會哭得更厲害。

好不好，寶貝？我們來比賽看你厲害還是爸爸？

準備好了嗎？比賽就要開始了！

永遠疼愛你的爸爸

附　十年後女兒給爸爸的回信

愛玩的爸爸：

你好！你躲在哪裡？你不是說我吃過十次蛋糕後，就可以找到我（你）嗎？

這十年來，我很聽你的話，為了不犯規，害怕遊戲輸掉再也見不到你，我努力地照顧爺爺奶奶，奶奶和媽咪，我逗他們笑。

爸爸，他們終於笑了！我贏了！遊戲結束了，你該回來了吧，對嗎？

原來……不對的！我期待爸爸你回來，再和我玩捉迷藏的遊戲，媽媽卻告訴我，我再也看不到你了，原來十年前的我就已失去了你這個愛玩的爸爸。

爸爸，十年來，每吃一次蛋糕，我對你的思念就愈加深重，對我們十年後的再會也就愈加期盼。十年思念的積累實在令我輸得更為慘痛！

十年前，若你讓我選擇的話，我寧願爸爸不要騙我，你該相信你的女兒吧！我會堅強，我會更努力地逗爺爺奶奶和媽咪笑。或者……你乾脆騙我一輩子，和我玩一輩子的捉迷藏，只要讓我擁有一輩子的你。

爸爸，十年後的後知後覺沒有減輕失去你的震撼，雖然痛，但我一直在努力地走好我的人生。我不會辜負你的愛，不會辜負你和我玩十年捉迷藏的苦心。

苦苦想念你的女兒

張大千家書

張大千

三哥賜鑒：

老年弟兄天各一方，不得相見，慘痛萬分！月初經過香港，曾託一門生兌上美金五十元（合人民幣一百廿二元）。度此信到時，此款亦當收到，外寄砂糖二公斤、花生油五公斤、花生米二公斤、紅棗一公斤、肉鬆二公斤、雲腿四罐。則云須一月半或兩月方可寄到，不知去年在巴西所寄之食物收到與否。弟一人在法國，大約六月十二飛回巴西。哥回信仍寄巴西為盼。今晨弟媳由巴西轉到一月廿四日（臘月初八日）哥手示，拜讀再三，哭泣不已。老年手足但求同聚，不計貧苦。

弟之近況尚可慰，哥（弟）於萬里之外，每年賣畫可得美金萬餘（合人民幣三萬上下），只是人口稍多，足夠家用，無多蓄積而已（保羅夫婦及子女三人共五人，澄澄、滿滿、牛牛、阿烏、朵女、滿女、醜女共七人，弟同弟媳二人，一家共有十四人，果園有柿子一千五百棵，每年可收四五千美金）。萬望哥與三嫂申請同時出國，來香港會晤，斯得與哥嫂見面，決計同回。若哥嫂不能同來香港，則弟亦決不歸矣！

哥嫂來港見面之後，使弟完全瞭解國內情形，弟即將農場、汽車、房屋賣了可得四五萬美金，隨侍哥嫂回到國內居住也。從下月底，弟仍按月與哥兌人民幣四十元為日用，若是請准了出來，賜信，弟便兌旅費回來。只要哥嫂到了上海，弟就飛到香港來等。三嫂是我們家裡的一位老嫂子，弟小的時候，穿衣做鞋洗澡，都是她照料的，弟真是當她同母親一樣。現在弟成名了，無以報答，只希望今生今世能多見幾面，只要能夠在香港見面，弟決定一同回去的。但是弟有請求，千萬不要帶了孫兒一路，第一哥嫂在旅途不便，第二旅費太大，要多用幾百元，香港進口，更要花錢得多。何不將多花的錢交與九侄媳，留與侄孫兒衣穿飯吃，兩三年也有多了。

哥所要的原子鍋，據弟知道的，國內是不許寄進口的，但是弟仍託香港門人試辦看看。九侄所要的錶，那是絕對不可以進口的，前年二嫂來，要帶一隻錶，都沒有辦到，隨身一枝自來【水】筆，在香港廣東交界的地方，都沒扣了。只有等十天以後，兌點錢與九侄，叫他自己在國內買吧。請哥嫂保重和繼續申請。敬祝平安萬福！

弟目疾未加重，尚可寫畫，祈釋念。

弟爰叩頭上言　五月廿九日

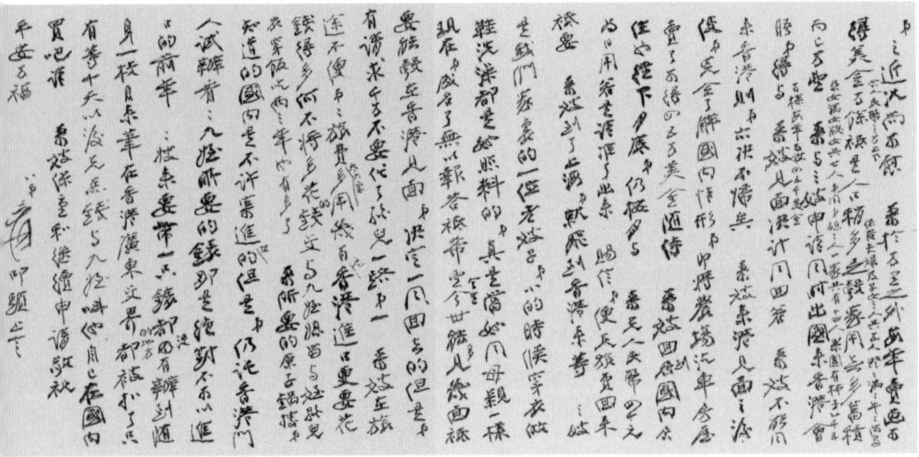

1 張大千家書

冼星海寫給母親的信

冼星海

媽媽：

上海「八・一三」的炮聲使整個中華民族有血氣的民眾覺悟了！團結了！從此以後國土四周圍都佈滿著敵人的火焰，每一個中國人都免不掉危險。六年前的三千萬流民的印象，當我還沒有忘記的時候，如今又遭遇到更大的浩劫，更殘忍的屠殺了。在這關頭，我們每一個中華民族的國民再沒有第二句話，「只有保衛國土來參加這偉大而神聖的戰爭！」我們不讚頌戰爭，可是沒有戰爭，或許就不能發現人類的真理，沒有戰爭，就失掉自由和獨立的存在。

親愛的媽媽，我是在上海開火後五天離開那素稱安逸的上海的。沿一條彎曲的蘇州河向前進。一路上也都是四處炮聲，頭上也都是敵機盤旋。同行十四人一樣地不顧一切向前，為著踏上一條大路，竟沒有顧到目前所坐的一隻拖糞小船的臭味和肚裡的飢餓。但，媽媽：你得明白我們並不是逃難，我們十四人都是救亡的勇士，雖然還沒有實現我們預期的願望，可是我們每一個人都明白了自己對國家應負的責任。從出發到今天已經整整四個多月了，一百多天的旅程，一百多天的過去，國土又不知淪陷多少，同胞又不知被屠殺多少？！但我們並不悲觀，也許我們失去的土地會被炸成一片焦土，但到最後勝利在我們手裡的時候，我們還可以收復已失的土地，更可以重建一切新的建築、新的社會。偉大的先驅告訴我們：「沒有破壞便沒有建設。」只有趕走了敵人才是我們唯一的出路！

現在我已到武漢了，並且不久又快去重慶。在這無一定的漂流生活，雖然也為著國家宣傳救亡工作，但遇到今天晚上的漫漫的黑夜，那淒涼冰冷的四周，我好像耳邊有無數的失去兒子的母親、和失去了母親的兒子的哀訴。那不能告訴人的，潛伏般的音樂，很沉重地打我，使我不能不又想起了我唯一的你——媽媽。我想在每一個母親也想念著她自己的兒子出發為國宣勞的時候，或許會更懇切些吧！是的，或許會更懇切的！因此我半夜沒有酣睡。但想念著國家的前途和自己應負的責任，我又好像不得不暫時忘記你了，忘記一切留戀，但我並不是忘記了你偉大的慈愛和過去五十多年的飄零生活，我更不是忍心地來拋棄你去走千百萬里的長程。可是我證明了我自己的責任，明瞭中華民族謀自由、獨立、解放的急切。我是一個音樂工作者，我願意擔起音樂在抗戰中偉大的任務，希望著用洪亮的歌聲震動那被壓迫的民族，慰藉那負傷的英勇戰士，團結起那一切苦難的人們。但，媽媽，我常感到自己能力的薄弱和自己實際生活的缺乏，雖然有時站立在整千整萬的民眾面前，領導著他們高歌，但有時我總有戰〔顫〕慄，因為我往往不能克服自己的情緒又想到遙遠的媽媽了！可是當我每到一個地方的時候我都被那民眾歌詠的情感克服，令我不特忘記了自己，忘記了你，而且又更加緊我的工作。和他們更接近，更使我感覺自己的情緒已移向到民眾了。我不時都在媽媽面前說過，我不是一個自私自利、自高自大的音樂家，我要做個生在社會當中的一個救亡伙伴，而且永遠的要從社會的底層學習。過去二十多年的流浪生活，就告訴我實際生活的經驗是超越了學校的功課的。我常常感到民眾的力量最偉大，民眾對音樂的需要，尤其在戰時，那使我不能不忍痛地離開你而站立在民眾當中。他們熱烈地愛著我，而我也愛護他們。

自我離開上海後，媽媽必定感到很寂寞，因為並沒有親近的人在你身旁，連可靠的親友也逃避到香港去了。但我很希望媽媽放心，這次抗戰必定得到勝利的，只要能長期抵抗下去。但在英勇的抗戰當中，我們得要忍耐，把最偉大的愛來貢獻國家，把最寶貴的時光和精神都要花在民族的鬥爭裡！然後國家才能戰勝。所以在爭取民族解放的國家當中，我們更需要偉大的母性的愛來培養許許多多的愛國男兒——上前線去，或在後方擔任工作。這樣才能夠發展每個人對國家的愛。媽媽！我更有一件事情可以安慰你的，就是現在我已經開始寫《中國兵》了。這作品是繼《民族交響樂》之後的，是純用音樂來描寫中國士兵抗戰的英勇，保衛國土的決心。那偉大士兵的抗戰精神，已打動每一個父母的心。在《中國兵》作品當中，我們可以聽每一個不怕死的士兵向前衝。每一個做媽媽的都能夠忍痛地拋棄私愛來貢獻她們唯一的兒子出征。《中國兵》的寫作就是根據愛的立場，偏重愛民族的偉大任務。我也曾和傷兵們談話，我也聽過很多士兵衝鋒和游擊軍的故事。可是我也得親歷其境，並且要參加作戰，才能更明瞭《中國兵》的偉大。我除寫作之外，我還想走遍各後方歌詠宣傳運動。

在武漢七天後，我們預備去重慶各處擔任後方宣傳工作。我想在這長程的旅途中，我可以受很多社會的啟示，得許多作曲的材料。我雖然時常地要想起媽媽，但理智會克制我，而且我自己知道在這動亂的大時代裡，沒有一個被侵略的人民不是存著至死不屈的精神。如果將來中國打勝仗以後，那一切的母親們和兒子們都能有團敘的一天。國家如果被敵人亡了的話，即使僥倖保存性命，但在偷生怕死的生活中和不純潔的靈魂的痛苦，比一切肉體的痛苦更甚了。為著中華民族的生存，我希望一切的母親們和兒子們都勇敢地向前，中華民族解放的勝利，就是要每一個國民貢獻他們的純潔的愛國心，同心合力在民族鬥爭裡產生一個新中國。

別了，親愛的媽媽，沒有祖國的孩子是恥辱的，祖國的孩子們正在爭取讓那青春的戰鬥的力量支持那有數千年文化的祖國。我們在祖國養育之下正如在母胎哺養下一樣恩賜，為著要生存，我們就得一起努力，去保衛那比自己母親更偉大的祖國。

媽媽，看了這封信以後，我想，在您的皺紋的臉上也許會漾出一絲安慰的微笑吧。再見了，孩子在征途中永遠祝福著您！

星海

一九三七年十二月三十一日

有你們，中國是不會亡的

蕭紅

可弟：[1]

小戰士，你也做了戰士了，這是我想不到的。

世事恍恍惚惚地就過了，記得這十年中只有那麼一個短促的時間是與你相處的，那時間短到如何程度，現在想起就像連你的面孔還沒有來得及記住，而你就去了。

記得當我們都是小孩子的時候，當我離開家的時候，那一天的早晨，你還在大門外和一群孩子玩著，那時你才是十三四歲的孩子，你什麼也不懂，你看著我離開家向南大道上奔去，向著那白銀似的滿鋪著雪的無邊的大地奔去。你連招呼都不招呼，你戀著玩，對於我的出走，你連看我也不看。

而事隔六七年，你也就長大了，有時寫信給我，因為我的漂流不定，信有時收到，有時收不到，但在收到信中我讀了之後，竟看不見你，不是因為那信不是你寫的，而是在那信裡邊你所說的話，都不像是你說的。這個不怪你，都只怪我的記憶力頑強，我就總記著，那頑皮的孩子是你，會寫了這樣的信的，會說了這樣的話的，哪能夠是你。比方說——生活在這邊，前途是沒有希望，等等。

而後你追到我最先住的那地方，去找我，看門的人說，我已不在了。

而後婉轉的你又來了信，說為著我在那地方，才轉學也到那地方來唸書。可是你撲空了，我已經從海上走了。

可弟，我們都是自幼沒有見過海的孩子，可是要沿著海往南下去了，海是生疏的，我們怕，但是也就上了海船，漂漂蕩蕩的，前邊沒有什麼一定的目的的，也就往前走了。

那時到海上來的，還沒有你們，而我是最初的。我想起來一個笑話，我們小的時候，祖父常講給我們聽，我們本是山東人，我們的曾祖，擔著擔子逃荒到關東的。而我們又將是那個未來的曾祖了，我們的後代也許會在那裡說著，從前他們也有一個曾祖，坐著漁船，逃到南方的。

我來到南方，你就不再有信來。一年多又不知道你那方面的情形了。

不知多久，忽然又有信來，是來自東京的，說你是在那邊唸書了。恰巧那年我也要到東京去看看。立刻我寫了一封信給你，你說暑假要回家的，我寫信問你，是不是想看看我，我大概七月下旬可到。

我想這一次可以看到你了。這是多麼出奇的一個奇遇。因為想也想不到，會在這樣一個地方相遇的。

我一到東京就寫信給你，你住的是神田町，多少多少番。本來你那地方是很近的，我可以請朋友帶了我去找你。但是因為我們已經不是一個國度的人了，姐姐是另一國的人，弟弟又是另

1 圖為坐在魯迅家門前的蕭紅

一國的人。直接地找你，怕於你有什麼不便。信寫去了，約的是第三天的下午六點在某某飯館等我。

那天，我特別穿了一件紅衣裳，使你很容易地可以看見我。我五點鐘就等在那裡，因為我在猜想，你如果來，你一定要早來的。我想你看到了我，你多麼喜歡。而我也想到了，假如到了六點鐘不來，那大概就是已經不在了。

一直到了六點鐘沒有人來，我又多等了一刻鐘，我又多等了半點鐘，我想或者你有事情會來晚了的。到最後的幾分鐘，竟想到，大概你來過了，或者已經不認識我，因為始終看不見你，第二天，我想還是到你住的地方看一趟，你那小房是很小的。有一個老婆婆，穿著灰色大袖子衣裳，她說你已經在月初走了，離開了東京了，但你那房子裡還下著竹簾子呢。簾子裡頭靜悄悄的，好像你在裡邊睡午覺的。

半年之後，我還沒有回上海，不知怎麼的，你又來了信，這信是來自上海的，說你已經到了上海，是到上海找我的。

我想這可糟了，又來了一個小吉卜西。❷

這流浪的生活，怕你過不慣，也怕你受不住。

但你說，「你可以過得慣，為什麼我過不慣」。

於是你就在上海住下來。

等我一回到上海，你每天到我的住處來，有時我不在家，你就在樓廊等著，你就睡在樓廊的椅子上，我看見了你的黑黑的人影，我的心裡充滿了慌亂。我想這些流浪的年輕人，都將流浪到哪裡去，常常在街上碰到你們的一伙，你們都是年輕的，都是北方的粗直的青年。內心充滿了力量，你們是被逼著來到這人地生疏的地方，你們都懷著萬分的勇敢，只有向前，沒有回頭。但是你們都充滿了飢餓，所以每天到處找工作。你們是可怕的一群，在街上落葉似的被秋風捲著，寒冷來的時候，只有彎著腰，抱著膀，打著寒戰〔顫〕。肚裡餓著的時候，我猜得到，你們彼此的亂跑，到處看看，誰有可吃的東西。

在這種情形之下，從家跑來的人，還是一天一天的增加，這自然都說是以往，而並非是現在。現在我們已經抗戰四年了。在世界上還有誰不知我們中國的英勇，自然而今你們都是戰士了。

不過在那時候，因此我就有許多不安。我想將來你到什麼地方去，並且做什麼？

那時你不知我心裡的憂鬱，你總是早上來笑著，晚上來笑著。似乎不知道為什麼你已經得到了無限的安慰了。似乎是你所存在的地方，已經絕對的安然了，進到我屋子來，看到可吃的就吃，看到書就翻，累了，躺在床上就休息。

你那種傻裡傻氣的樣子，我看了，有的時候，覺得討厭，有的時候也覺得喜歡，雖是歡喜了，但還是心口不一地說：「快起來，看這麼懶。」

不多時就「七七」事變，很快你就決定了，到西北去，做抗日軍去。

你走的那天晚上，滿天都是星，就像幼年我們在黃瓜架下捉著蟲子的那樣的夜，那樣黑黑的夜，那樣飛著螢蟲的夜。

你走了，你的眼睛不大看我，我也沒有同你講什麼話。我送你到了台階上，到了院裡，你就走了。那時我心裡不知道想什麼，不知道願意讓你走，還是不願意。只覺得恍恍惚惚的，把過去的許多年的生活都翻了一個新，事事都顯得特別真切，又顯得特別模糊，真所謂有如夢寐了。

可弟，你從小就蒼白，不健康，而今雖然長得很高了，仍舊是蒼白不健康，看你的讀書、行路，一切都是勉強支持。精神是好的，體力是壞的，我很怕你走到別的地方去，支持不住，可是我又不能勸你回家，因為你的心裡充滿了誘惑，你的眼裡充滿了禁果。

恰巧在抗戰不久，我也到山西去，有人告訴我你在洪洞的前線，離著我很近，我轉給你一封信，我想沒有兩天就可以看到你了。那時我心裡可開心極了，因為我看到不少和你那樣年輕的孩子們，他們快樂而活潑，他們跑著跑著，當工作的時候嘴裡唱著歌。這一群快樂的小戰士，勝利一定屬於你們的，你們也拿槍，你們也擔水，中國有你們，中國是不會亡的。因為我的心裡充滿了微笑。雖然我給你的信，你沒有收到，我也沒能看見你，但我不知為什麼竟很放心，就像見到了你的一樣。因為你也是他們之中的一個，於是我就把你忘了。

但是從那以後，你的音信﹝訊﹞一點也沒有的。而至今已經四年了，你到底沒有信來。

我本來不常想你，不過現在想起你來了，你為什麼不來信。

於是我想，這都是我的不好，我在前邊引誘了你。

今天又快到「九一八」了，寫了以上這些，以遺胸中的憂悶。

願你在遠方快樂和健康。

蕭紅

一九四一年九月二十日

註釋

❶ 可弟，即蕭紅弟弟張秀珂。

❷ 吉卜西，通譯吉普賽，為一流浪民族。

不幸我是個女孩，更不幸是個演戲的

袁雪芬

爸爸：

您說會回來的，怎麼一去好幾年，到現在連音訊都沒有，您在異鄉客地一切都好嗎？家裡祖母、媽媽、叔叔、妹妹都跟我記掛著您。

爸！我記得您出門那年，我正在「淪陷」的「孤島」演戲。那時候交通斷絕，骨肉遠隔，那天接著來信，爸說「要出國」去了，叫我回家「送行」。我雖然吐血病著，恨不得一步就到了家，看看五年不見的爸爸。唉！可是那時節不由你心急，手續真麻煩，要打通行證，還要市民證，再要旅行證、回鄉證……帶了許多證還不能安全，我同保香姐姐走的是小路，受盡了驚嚇，總算回到了別離五年的家。一看見爸媽，縱有千言萬語，也都變成了眼淚。爸與我邊哭邊說：「去年本當預備到『陰國』去，誰知道想盡辦法打電報給你，聽說路上很危險，你又不能回來。唉！這是戰爭害我們的，不知幾時才能太平？所以我一直等著，今天你真的回來了，總算被我等到了。」一家人團聚幾天，我就要動身走了，心裡雖有許多話要跟爸說，在悲歡之中又無從說起。

我問爸爸：「我從上海回來路上困難重重，假如您要『出國』去，不知要怎麼樣呢？」爸說：

「我去的地方是真正和平區，沒有戰爭，不要吃戶口米，是最安全的地方，什麼證也不要。」我聽了很奇怪，有這樣的好地方？為什麼爸一個人去，不帶我去呢？您不說原因只對我笑。

過了幾天，爸！您就「動身」去了，您說會回來的，會寫信給我的，可是直到現在怎麼一點消息也沒有？爸！您出門後不多幾日，祖父因您單身出門不放心，他也找您「去」了，他老人家也在您那裡嗎？好嗎？我們都很牽記著。

爸！您出門的當年我就回到上海演戲了，這時候我跳出了科班，另組劇團。「新越劇」就在那時誕生：分幕、裝置、燈光、化裝、服裝等新的方式都在這時候滲入我們的演出。起初演員們不習慣學戲排戲，似乎這是多此一舉。觀眾倒是接受了，可是同行不贊成新的，喜歡保守舊的，用種種不同的方式向我們襲擊。雖然給我們很多阻礙，我們還是低著頭工作。這樣一年半，一切都在進步中。

同時，我自己肺病裡的細菌，從左肺進展到右肺，這也算進步了吧。媽天天哭著要我回鄉休養幾個月再說，那是民國卅三年（一九四四）三月間，我的身體實在不能支持，只得跟隨媽回鄉。我想，祖父是有肺病的，爸也有肺病的，這份「傳家之寶」一定要傳給我，我也只好照單全收。爸！您與祖父在「陰國」醫院裡養病，要多少錢一天？肺病特效藥有嗎？我相信你們那兒住的地方一定很舒服，藥也便宜，不會有什麼黑市，不會鬧房荒，要不然你們應該早就逃回來了。

爸！我在鄉下，醫生藥都沒有，只好每天曬曬太陽，在菜園裡拔拔青草，看看成群螞蟻搬家。鄉下空氣雖好，可惜環境太惡。有許多人仗著日本人的勢力，凶狠強橫，忘記了自己還是中國人，專門欺侮國人，常常借了名義來強迫我演戲。那時節我的病非但不能輕，反而加重了許多。想想這邊，是那邊好，到了那邊，還是這邊好，真是到處一樣，我只好再到上海。各方面又來接洽登台，一答應登台，根本沒有功夫醫病了。爸！您會罵我太大意嗎？爸！這不是我的消極，我想用積極辦法醫治，我過去不喜歡與人談笑，我現在學會說說笑笑，這樣是有益於健康的。爸！您相信這句話嗎？真的！這十二年來我已嘗遍了甜、酸、苦、辣的滋味。

爸！這世界不允許有靈魂的人。假使你自身清白，站在自己崗位上掙扎，人家會說你固執、驕傲。唉！自然會有各種麻煩來找你。爸！不幸我是個女孩，更不幸是個演戲的，只要你是個女演員，他們對付你的方式更多。在中國演戲的不是藝術家，每一個人都知道叫「戲子」。沒有保障的「戲子」，誰都可以來欺侮你，甚至造了種種謠言來攻擊你。你若開開口，就做幾本書寫幾篇莫名其妙的文章來破壞你。你若不開口，看的人還以為你是真的默認了。你若再開口，就會把你打入深淵大海，永世不得翻身。

爸！人說：「聰敏遭天忌。」我既不聰敏為什麼也有人忌？爸！勝利已有二年了！說民主，什麼叫民主？自由，自由在哪裡？黑暗，還是黑暗！爸，這兩年我要是不樂觀，早被一群殺人不用刀的殺死了！爸，我常常想，一旦能見到爸，讓我痛痛快快地哭訴一場！可是我現在到哪裡去哭訴呢？我不想哭！哭有什麼用呢？我不是小孩，我有的是理智。爸！我的性格比從前堅強得多了，這是時代給我的轉變，是這個社會給我的磨煉。的確，我得著的，您應該高興，我損失的，您也不要難過，每一樁事都要有收穫，一定有損失的。

爸！我現在休息著，看看各種戲，再學一點不懂的東西，也可以增加見識。我們的「新越劇」現在是怎麼樣了呢？成功了嗎？不！沒有。爸！等到成功的日子我再寫信告訴您。

爸，我再告訴您一個您喜歡聽的消息，我的身體比以前好多了，最近牛奶我也吃了。至於您與祖父的近況怎麼樣，我真不知道怎樣才可以知道呢？只有遙祝平安！

您的兒雪芬上

一九四七年五月二十四日

美人娘

吳　霜

又是一年春草綠，又是一年春雨滴。

草長鶯飛的季節，使我想起，一九九八年的這個季節，我親愛的母親猝然遠去。那一年的初春雨水濃，天公淅淅瀝瀝不斷地流淚，母親那顆優美的靈魂在如淚般的煙雨朦朧中回歸天堂。

我越來越堅信，我的母親新鳳霞是一個聖女，造物者將她如種子一般撒向人間，意欲要她開花要她結果，要她傳遞人生中最美好的信息。這正是在母親離去時眾多親朋摯友滂沱的淚河當中，我是流淚最少的人的原因，感謝美好不該用眼淚，而應該用微笑。

母親真美。她年輕時候的朋友對我說，出身貧窮的母親是一朵塘中蓮花。不在乎她用麵粉袋改做的衣服如何粗糙，不在乎粗布上自染的顏色如何層次不一，走在任何地方她都是引人注意的目標。她美麗的臉龐上有彎彎高挑的眉，深邃多情的眼，筆直玲瓏的鼻，線條清晰微微翹起的嘴。她完美的身上找不到缺欠，美麗原來就是這樣，天地的靈秀獨獨鍾情於一人。

一條清麗柔和、純淨如涓涓泉水般的嗓子注定了母親的演唱生涯。她從六歲起迷上了舞台，不顧父母的阻攔，利用各種機會尋求登台表演的條件。幼年的母親是天津街頭拾煤渣的窮苦孩子

1 新鳳霞 25 歲時獨照（1950 年）

當中的一個，然而她懂得在幫助勞累一天的父母後，跑老遠的路到剛剛開鑼的戲園子裡去看戲。花花綠綠的舞台上有千變萬化、色彩絢爛的歌唱和舞蹈，生、旦、淨、末，唱、作、唸、打，道不盡的神奇，說不完的魅力。一次一次的爭取，一次一次的努力，父母不忍讓女兒到戲班子裡挨打受罵，但卻擋不住女孩子心中的自然之力。她學京劇、學崑曲、學大鼓、學梆子、學評戲，她看過無數演員的表演，沒上過學不認字的她能夠單憑記憶，錄下做一名傑出演員所需要的一切信息。

十五歲的母親擔綱主演，是由於主角臨時缺席所至。早已將戲文牢記心中的母親臨時頂替主角上場，結果卻是見慣了名角的觀眾們發現了一枝空谷幽蘭、一朵出水芙蓉。

母親曾對我說，她之所以做演員是因為愛戲，她太迷戀舞台了，除了演戲，她不知道還能做什麼？新生的共和國為母親的戲劇創作展開了前所未有的廣闊天地，在這個舞台上，她創造了多少讓一代又一代觀眾刻骨銘心的形象啊！五十年代的「劉巧兒」「楊三姐」、六十年代的「張五可」「銀屏公主」「春香」「珠瑪」「祥林嫂」……無數的觀眾熱愛她、崇拜她，我小時候曾見到劇院的工作人員提來觀眾寄給母親的信件，足有幾大麻袋，打開口袋，嘩啦啦散落一地。

我想過，那樣多的人喜愛母親出於一個最自然、淳樸的原因，因為母親的美麗。

我總覺得，成了她專行裡的一派宗師以後，母親心裡一直有一種危機感。母親年紀很輕的時候在她的藝術門類當中便成了眾望所歸的開山人物，這種輝煌是她沒有預料到的。患病之後，母親的業餘時間多起來，她開始努力地用各種辦法尋找她過去的朋友，並且在她的回憶錄中懷念那些人和事。許多老友因而又回到她身邊，和她恢復了來往，這給母親帶來了巨大的快樂。她幫助他們，無論有什麼事，只要能幫上忙，她便不遺餘力。有時我覺得她簡直熱情得過了火，她卻告訴我，媽媽這麼多年變成「名人」，而骨子裡仍然是原來的那個小鳳子。媽媽年紀大了才覺得，人與人的感情才是最重要的，我得到的比付出的多出很多。

母親的美麗，從內至外。

常州，是母親最終選擇飛向天堂的地方。那是一片同樣美麗的土地，是一九九八年的初春，北方還寒風凜冽，常州已是桃花初綻，春雨綿綿了。母親走前，高興地對我說：「這可是我頭一次去常州，我要給那裡的朋友多畫幾張畫。」常州是父親的故鄉、水土豐潤的魚米之鄉，母親一生沒有去過，卻在最後的時刻擁抱、親吻並將魂靈永遠留在了那裡。母親實在是獨特的，她的離去也顯得那樣美，那樣溫柔，有情有義。

古人有言：「不失其所者久，死而不亡者壽。」❶記得我的一位姨表姐，從不稱呼母親為「姨」，而叫她「美人娘」。很小的時候，我就聽這個稱呼，覺得奇妙而好聽，母親在的時候聽到這個稱呼總會微笑。母親不在了，這個稱呼越顯得那樣貼切而美好。

讓我也這樣叫一聲吧：你是我永遠的驕傲，媽媽，美人娘。

一九九九年四月　北京

註釋

❶「不失其所者久」句出自老子《道德經》。

對於文學，我從小就比較愛好

裘山山

爸爸媽媽，您們好！

媽媽的來信和寄來的數學競賽題收到了，我想爸爸媽媽十四日離開北京，今天應該到了，可能路上累了不能馬上給我寫信，因此再寫一封吧！

這兩天我在營裡參加幹部學習班，作為報道員參加的，一共是四天，各連幹部都來了，就我一個戰士，還有那個新聞幹事湯英以及總站派來的一個幹事，我們要寫一篇報道。我們連今年稿子上得不多，教導員著急了，老抽我出來寫，可也解決不了問題，我新聞稿件一篇也沒上，就上了一篇散文和一首詩歌。可能我不適應寫新聞報道吧？我都有點兒喪失信心了。昨天教導員跟我說，新聞報道不行就寫文藝作品，反正今年任務一定要完成。看教導員著急以及信任，我覺得不好好寫也不行了，同時還感到明年想走是不太可能的，我聽別人說，教導員最喜歡會寫的，他說，有這個才能的都留下。所以我們連文書都二十五歲了，他還不放她走，真有意思。我們營還有一篇上中央報刊的任務，教導員似乎把希望寄託在我身上，我感到很有壓力，不過有壓力也好，因為這個原因，所以我對我今後究竟幹什麼安不下心來，昨天給姐姐寫信時也談了這個

是可以克服和战胜的。兵来将挡，水来土掩，侵略者胆敢来犯，就坚决把他消灭在人民战争的汪洋大海之中！

有山必有路，有河必有渡。历史将继续不断地用最雄辩的事实证明着：真理一定要战胜谬误，革命必定成功，人民在前进中迂到的困难一定要被克服，被战胜！

灯　　下

战士　裘山山

常常听到人们赞美山城那迷人的夜景，赞美那一串串璀璨的明灯，我却要高声赞美那为革命奋战在灯下的人们。

每当我看见明亮的灯，就仿佛看见毛主席坐在枣园窑洞的灯下运筹谋划，指引着全国人民革命的征程。

每当我看见明亮的灯，就仿佛看见周付主席在红岩村的灯下奋笔挥毫："千古奇冤，江南一叶；同室操戈，相煎何急！？"这千古名句象一团火，烧毁着沉沉的夜暗。

看见明亮的灯，我又仿佛看见了工人和工程师在灯下深夜攻关；老科学家们为了攀登科学高峰，在灯下迎接黎明……

每天晚上，不知有多少人，不顾疲劳和辛苦，在灯下摆开了攀登科学高峰的战场。因而，我对"灯下"，总有一种辛勤工作、刻苦学习的好感，灯光总使我心情舒畅奋发。喜欢学习的人就喜欢灯光，攻关的勇士格外珍惜灯下的光阴。

可是，灯光也曾在我的心中投下阴影。

那是在"四害"横行的岁月里，山城灯火阑珊，灯下冷冷清清。"帽子"、"棒子"赶走了为社会主义建设苦战攻关的人们，却多出了些打牌、吹牛，甚至在灯下拉邦结伙的人。那时的灯光就象是撒在地上冷冰冰的霜，投在心中阴森森的影……

乌云驱散以后，灯火更加辉煌，灯下的人们，更加勤奋。华主席抓纲治国的伟大号召，好似火炬点亮了人们心中的灯，为了实现四个现代化，神州九亿争攀高峰。

在一个图书馆里，我曾看到这样一幅图景：灯光，明晃晃；灯下，静悄悄。沙沙的翻书声如春蚕吃叶。人们忘记了时间，忘记了休息，有的凝神深思，有的奋笔疾书，他们在知识的海洋里恣意遨游。

呵，祖国美好的夜晚，有多少明亮的窗口，有多少奋发的人们。灯光下，白发与青丝共勉，春华和秋实交辉，那一张张缜密的图纸，一摞摞精深的文稿，一页页优秀的答卷，就是他们丰硕的果实；那一道道复杂的算题，一篇篇认真的笔记，一次次反复的实验，就是他们攀登科学高峰的脚印。

每天每天，灯下有多少人在描绘着宏伟的兰图。

每天每天，灯下有多少人在书写着光明的未来。

为了完成新时期的总任务，明亮的灯有千盏万盏，奋战在灯下的人有千千万万。这千盏万盏的灯，架起了实现四个现代化的金桥，这千千万万的人，汇成了夺取四个现代化的大军，今天灿烂的灯花将化为明天"四化"的壮丽图景。

啊，明亮的灯，发出你所有的光和热吧！

啊，灯下的人，献出你所有的智慧与才能！为了祖国，为了未来。

（题图：炽卉）

·22·

《解放军文艺》七八年六月号

1　這是我發表的第二篇作品。因為上了《解放軍文藝》，成了我們部隊的「名人」。我寄了一份給父母。左側的小字，是父親寫的。—— 裘山山問題。我有時候做數學題，做著做著就開了小差，想：學了幹什麼呢？能用上嗎？如果說上大學，一是回不去怎麼辦？二是回去了考不上怎麼辦？但我又喜歡數學（物理、化學都不喜歡），而且特別喜歡，但我那天看了北京的數學競賽題，許多地方弄不懂，我就想，人家中學生都會做，我還不會。要達到人家那個要求還得下工（功）夫，更不要說搞專業了。我知道媽媽希望我象（像）爸爸那樣搞工科，我自己也希望能夠成為對國家有切實貢獻的人。每次聽到我國科學水平不如外國時，就恨不能立即走上科學研究的崗位，但細一想，又覺得離自己很遙遠。對於文學，我從小就比較愛好，只是因為媽媽不太贊成，因此不太重視。但可能是因為遺傳性吧？怎麼丟也丟不掉，總是很喜歡。特別是那天，《解放軍文藝》社來函說，準備刊用我的一篇散文《燈下》，我更動心了，總覺得自己在這方面發展的可能性大些。他們來調查我的政治情況（這是當時必需的政審），後來我們副指導員打電話告訴他們時，那位編輯鼓勵我今後多寫些。（不過現在還不一定用，還要開全社會研究決定，如果用，就是六月份那期的。）所以我想以後是留隊幹這一行（指提幹），還是復員上學？我實在拿不定主意，請爸爸媽媽做主吧！如果爸爸媽媽認為還是上學好，那我就一定爭取回家，並盡最大努力去考大學，盡最大努力學好，將來既（即）使不行也不後悔。因為定不下心來，所以學習起來東抓一下西抓一下，不知該以哪個為主。不過大家都認為我愛學習，上次「五四」青年節，團支部還叫我介紹了自己既學好業務，又完成通訊報道任務，還學其他文化知識的所謂經驗，並且受到了總政的通報表揚（當然不止我一個，我們連六七個）。分隊有些同志對我盲目佩服，也有的盲目嫉妒，其實我知道自己實在是沒「水」的，論啥沒啥，那天別人提一個問題，我國近代史上第一個不平等的條約是什麼，雖然沒問我，但我很心慌，因為不知道。回來看書才曉得。平時這些歷史書都看過，就是記不住，看了就忘。所以我覺得自己太差勁兒了，不學習不行。連裡的學習空氣濃了起來，戰士們都自覺地學，分隊領導比較支持，連裡好像不太支持，怕戰士們鑽進數理化丟了業務，夜校說辦至今沒辦。我們這有個戰士，跟我一年的兵，她爸爸特別希望她會寫，經常給她寄學習材料，有一次她把她的一個本子寄回去給她爸看，裡面抄了我的那篇「女戰士」，她爸以為是她寫的，高興得不得了，誇她進步大，表揚她愛學習，她把信給我看了，真有意思。她說她沒有告訴她爸不是她寫的，怕她爸失望，決心好好學習，爭取以後寫好。因為開會，大家都在幹自己，我不知不覺寫了這麼多，不對的地方請爸爸媽媽指出。

徐伯伯不知什麼時候來？我很盼望，既〔即〕使不帶東西我也盼他來，因為他也是一個比較親近的人，代表爸爸媽媽來看我呀！我們還是四年探家，從七八年的兵開始六年探家，這剩下的三年也不好過，也許會很快地晃過去。

您們的女兒：山山

〔一九七八年〕五月十六日下午

一封家書

張　兵

姐姐：

你好。現給你寄去我倆小時的照片。那是一九六五年照的，快四十年了。我把它送給姐姐，作為你即將通過博士論文的小禮物吧！

這張照片是咱爸前不久清理家中舊物時找出的。看到這張照片，逗得淘淘（我十五歲的兒子）縱聲大笑：「哈哈……爸爸，你那時多麼難看呀！看你這頭髮……哎喲，笑死人啦！」麗萍（我的妻子）也嗔怪說：「醜八怪！知道你小時這個傻樣兒，我可不嫁給你！」

據咱爸回憶，我們都誕生在「大躍進」的年代裡。爸在部隊，媽在地方當幹部，熱火朝天的「趕英超美」，無法照顧我倆，將兩歲的你和一歲的我送到遼西農村姥姥家，在那片長滿大豆、高粱的熱土上，我們同田野裡的小馬駒兒、小牛犢兒一塊長大了。這一待就待到上小學才回到城市。

你還記得吧？那時，我在姥姥家輩最低，但地位「最高」。天老大地老二我老三，誰也不敢惹城裡來的「小祖宗」。記得鐵鍋裡貼著的一圈玉米餅子裡，偶爾有兩個白麵餅，只給姐姐和

1 家人攝於 1965 年

我吃。病中的姥爺笑著對我說：「來呀，小伙子（姥爺稱幾歲的我為小伙子，深深印在我的記憶中），讓姥爺給你咬個月牙兒！」待會兒，姥爺又說：「把餅拿來，姥爺給你咬個鋼叉兒！」如今，一輩子面朝黃土背朝天的姥爺姥姥都先後故去了，安眠在故鄉的土地上。我帶著長到一點八三米的兒子回到故鄉，北河窪裡的水越來越少，屯裡的房子佔地越來越多，親戚朋友則越走越遠。樑上的燕子哪兒去了？村外的野兔哪兒去了？我童年香甜的夢哪兒去了？

據咱媽講，我小時頭髮很濃很硬，「毛兒總是站著」（直立），媽給我洗小臉時總用手蘸點水，一遍一遍抹我的頭髮，讓頭髮「老實」一會兒，照片上的「小蓋兒頭」打綹兒，想是又抹過水了吧！歲月不居，我過早地謝頂了，「小蓋兒頭」固不美，但至少證明，本人小時是「一頭秀髮」呵！

「眼睛是心靈之窗」，這是句用濫了又不知是誰的名言。照片上我眼睛驚懼地看著攝影機，而你卻從容得多，甚至滿臉不屑。唉！姐姐從小有主意有出息，爸媽沒少誇你，你的性格，凡事爭先恐後，上小學最先繫上紅領巾，最先掛上「二道槓」（少先隊中隊長），六年級就加入共青團；中學時居然擔當過「紅衛兵團政委」（我姐「文革」沒造反，此時已一九七二年）。而我此時只不過是你「麾下」的一名「紅衛兵」。一九七四年以後「上山下鄉」，我倆都去遼寧義縣插隊，我揮汗如雨耕種在大田裡，你卻是公社宣傳報道員，神氣活現地騎著自行車奔馳在廣闊天地裡。一九七七年國家恢復高考後，你一舉金榜高中，考上遼寧大學，成為我張家第一名正牌大學生（為妹妹帶了一個好頭兒）。我卻名落孫山，勉勉強強上個技校（與你校僅一牆之隔）。你畢業後工作之餘繼續學習，如今博士在讀，相夫教子重重負擔卻壯志不移。而我由於「老天青眼相顧」，憑著一個不錯的單位不低的職務不薄的薪水（東北水平）過著不窮不富的日子，閒暇讀幾首詩畫幾幅畫寫幾個字而已。

姐姐，你說我倆之間差什麼？你是長女，我是長子，你是姐姐，我是弟弟，你當仁不讓，總站在時代前面，敢弄潮，敢衝浪，抓住機遇，百折不回，像個男孩兒。我則凡事瞻前顧後，見硬就回，不操心不想事，甘當一個旁觀者和追隨者，你實幹勤勉，不達目標不罷休；我愛清談，嘴壯心怯，做事不成皆怨命。你總是接受命運的挑戰，在自己的領域裡不斷攀登新高度；而我是「樣樣通，樣樣鬆」，學無專攻萬金油，享著計劃經濟的最後「餘蔭」，馬勺上的蒼蠅混飯吃。唉！你屬猴，一個智慧神奇的猴。一歲之差，居然差得如此遙遠。公平地講，我不是很無能，是姐姐太優秀。

姐姐，夜深了，就此擱筆。

請代我問姐夫好。瀟瀟（我的外甥女）學習好吧？別惦記爸和媽，有我和麗萍照顧。你郵來的錢收到了，麗萍很感謝，她的風濕病已好轉，切不可再寄！見到小穎（我妹妹）叫她寄一張照片給我。

祝

冬安

弟弟

給父母補寄的一封信

馮傑

爸媽：

你們在那個地方好吧。

驟然一想，我今生竟沒有給父親、母親寫過一封信，哪怕片言隻語，真是我永遠彌補不了的遺憾和傷痛。從少年到青年時光裡，我沒有外出上學負笈遠方的機會，一直在一個小地方和父母生活，娶妻，生子，蓋房，謀生，過世俗平常的生活，即使有些波瀾也改變不了固定軌跡，小地方似乎有「父母在不遠遊」的觀念，還有對父母不習慣的抒情言說。父親不是傅雷，也沒給我寫過家書，有話就直說。

我年輕時總以為什麼都會永恆，譬如青春永恆，文學永恆，愛情永恆，時間永恆，你們和我在一起永恆。相信明天，覺得有無盡的未來，這些理想都像日曆一樣，子丑寅卯，撕完一本還會有下一本重來。

當這些被自己不知不覺揮霍完時，才知道都是「流水今日，明月前身」一樣的幻影，皆夢幻一般色空，讓人覺得親情裡有一種無可奈何。

我小時候爸爸多是教訓我，媽媽更多是護著我。等我當了父親之後，知道天下父母都在望子成龍，無非是在期望裡多了失望，或期望裡得到期望，最終依然覺得現實離理想還有多多少少的距離。

在世俗生活裡，父母奔波一生，無非想為孩子張羅一些或多或少的物質，看得見的實用現實，只是父母的能力大小不同而已，爹媽心思都是一樣的。不同的是偉大的父母想傳承下來某一些精神，平凡的父母只想把下月的房貸能夠如期還上。

天下父母對待孩子沒有異心，是打是罵，多是恨鐵不成鋼的心情。天下只有坑爹媽的兒子，沒有坑兒子的爹媽。你們把這個家當作了在風雨中搭的一方鳥巢，不停地銜著一枝一葉。已是以唾液築巢了，最後鳥巢還殘缺不圓滿。

想起十七年前我最後送別父親時，在就要合封的棺槨裡，我在一個小本子上面給你寫過話：「爸爸，保佑媽媽和我們。」哀傷未定，僅僅四年過後，我又失去了母親。父親和母親在天堂相會了，我卻永遠失去了爸爸媽媽，再去叫這些稱呼永不再有回音。

我想所謂天堂，該是一個沒有煩惱的地方，在那裡你們不再惦記世間瑣事。這樣也好，不正是無數兒女期望的嗎？想一想，我所缺少的是世俗裡說的信仰，接受的教育觀和現實讓我在信仰領域留有更多空白，一直填不下支撐靈魂的東西。

我知道，所謂來生，沒有；所謂現世，短暫。世上沒有永恆，愛情、親情、友情終生不變的，像你們生前在家裡醃製的鹹菜一樣，是要在一定保鮮期才存在。可謳歌，可憧憬。一生能有這一段保鮮期，和你們共度一段時光，緣聚緣散。情感一向是得隴望蜀，父母活得再長壽，兒女也覺短暫。

感謝你們教會我簡樸、容忍、包容、慈悲、節約、自立、耿介，靠自己吃飯，生在平常人家該如何對付過平常日子。苦瓜再苦，也得吃下去，因為它是生活裡的一道躲不過去的日常菜。

這是一封遲到之函，是多年後你們不在人間時一封永遠無法抵達的信。這些文字無岸可靠。也許以後社會裡沒人為常態應用再去寫信了，那時寫信會成為一種行為藝術，一種奢侈行為，成為另一種非物質文化遺產，社會早不需要雪夜訪戴的慢了，孩子只管把消費卡號發給父母即可。世上實用主義的快速打敗了人間親情。

在這封信最後，我不說感謝你們的話了，因為今生今世是感謝不盡的。你們給我血肉，給我靈魂，給我精神，給我態度，即使遠在天堂了還是我的爸媽，我們以後還要重新緣聚。

兒子

在二〇一八年柳絮又飄的春天裡

世事皆可原諒

青青

媽媽，穀雨前回了一趟老家，看到你，突然覺得你矮了許多。我要和你合影，你不讓，你說：「人老了，太難看了，醜得很，不要照。」春節時給了你五千元，這次我又給你帶了錢。你推了一下我的手，不太堅決。錢已經落在你口袋裡了，你按了按，臉上有瞬間的笑意。我知道你需要錢。接著給我講你買的速效救心丸多少錢，哮喘靈多少錢，你從一個紙盒子裡提了一個大包過來讓我看，那些白色或者紅色的藥片，那些各式各樣的紙盒子，散發著濃郁的嗆人的藥味。你看了我一眼，臉上有孩子一樣可憐的神情。

回鄭州，車剛剛到平頂山，你就打一電話，問我到了哪裡，記得吃午飯。這樣瑣碎的牽掛於我是陌生的。我記得你在我面前總是牽掛著大哥的膝蓋。記得幾年前一次回故鄉過中秋。一家人熱鬧地坐在一起吃團圓飯，走出門來月亮已經升到了中天，金星亮晶晶地陪在旁邊，底下是藍得如黑寶石一樣的天空。月光灌了一地，腳下的路在月光裡變得凹凸不平，踩在低處的時候，老是疑心踩進水裡，有一種失腳的恐懼感。我們一高一低地走著，你要拉我的手，我遲疑了半天，對你的身體接觸是排斥的。要過馬路了，路上的車燈一閃一閃，你拉住我，你的手型其實和我長得差不多，也是又溫又厚，胖胖的，但這樣相似的手，幾十年裡，沒有拉過幾次。從你把我送給舅舅家那天，我就開始恨著你，也愛著你。

你卻仍然在關心哥哥的腿，向我絮絮叨叨地說哥哥的腿如何痛，如何無法睡眠。我有點妒嫉，一句話也不接，冷了場。月光如水一樣在我與你之間晃著，一種冰冷的液體從心裡瀰漫上升，我藉故鞋子卡住，丟下你，手上還有你的體溫，心裡一陣彆扭。其實一直都在渴望得到來自你那裡的愛，但總也得不到，或者得不到想像中的愛。每次相見的結果是我總要傷心一番。傷心的結果就是不給你打電話，你會讓人捎信來說你想我。我聽後心裡又是冰冷，又是溫暖，又得傷感一陣子。

我天性敏感，又獨立自持。這與你從小把我過繼給你二弟有關。你多次給我講述舅舅與舅媽把我從谷社寨抱走的場景，一遍又一遍，不厭其煩。我明白你的本意，你是通過細節告訴我，你並不是主動把我送人，而是娘家弟弟強要抱走，你也是無奈。你每次開始敘述前都用手絹擦擦眼睛：那是秋天，你穿著紅肚兜，他們騎著自行車，來了也不吃飯，抱起你就走，我趕到院子外的水井邊，說真要抱走，讓我再餵她吃一口奶。你走了，我一夜沒有睡覺，第二天一大早就趟著露水回娘家，東院的二奶奶一見我，眼淚就淌下來：你真狠心，平都七個月了，你也捨得？一句話說得我淚水在眼眶裡打轉，這個時候，老二從鎮上買奶粉回來，看到我很是驚詫，咋了，姐，你是不是捨不得，捨不得就抱回去。我不敢看他，也不敢眨眼睛，怕眼淚出來讓他瞧見。進屋看到你坐在席上，頭髮黑黑的，正在吃自己的手指。你也該是人家王家的人，你奶奶說你吃了煉乳，一覺睡到天亮，沒有哭鬧。

洛陽你養父母離了婚，三兒把你抱回了谷社寨，但在洛陽嬌生慣養了兩年，你完全不喜歡家裡，黃昏，你要瞌睡，我把你抱在腿上，你突然像針紮了一樣，放聲大哭，硬撐著胳膊要滾下去。我一生氣，把你頓在地上。你奶奶說，把平抱回槐樹營吧，我沒有孫子，讓她陪我。這樣你又一次回到外婆（後來就叫奶奶）身邊。

說到最後，媽媽，你低著頭，滿心都是愧疚：「給了槐樹營，誰也沒有想到他們會離婚，真是作孽呵，你前半生太可憐了。」我悄悄站起來，不願意聽到這樣憐憫的話。

記得上高中時，寫我的母親，我說我最想喊一聲媽媽，這個媽媽不是在書裡，不是在夢裡，不是在渴望裡，而是在身邊，是我可以摸得到的。我記得我的作文是這樣寫的：媽媽……我在心裡叫了你一聲，你是聽不到的。這個聲音從很小的時候都是從心裡發出來的，我看到許多嘴唇在發出這個聲音。飽滿的豐潤的嘴唇，在發出這個聲音的時候像是花朵被風吹拂過了，薄薄的櫻桃小口發出這個聲音，像是三月柳眉兒落在湖水上。沁有奶香的嬰兒的紅嘴巴發出媽媽的叫聲，像是神靈在給人間一個吻。媽媽——媽媽——我經常在無人的時候，閉上眼睛叫出聲來，人間一片空茫，我不希望有人應答，我也不需要有人應答……

我的班主任老師看後把我叫到他辦公室裡，他手撫上我的頭髮「是個苦孩子，可是艱難困苦，玉汝於成，你會好好長大的」。他的手是那樣輕柔，是那樣溫厚，我閉上眼睛想，媽媽的手如果放在我頭髮上，是不是這種感覺，這樣一想，眼淚就不爭氣地出來了。

奮，彎著腰看了許久，臉上都是幸福開心的光芒。

有一年，我咳嗽，黃昏時看到你在院子裡忙碌，你在摘菊花。廚房裡有菊花與雞蛋的香味，一會兒，桌子上擺了一盤黃綠相間的小餅。「我摘了菊花與荊芥，攤了個小餅，吃了也許咳嗽就輕了。」你看了我一眼，又進廚房。過了一會兒，一碗枇杷紅梨茶放在手邊。你坐在沙發一角，看著我。我的眼睛有點濕，不敢眨眼睛。頭埋進碗裡，喝茶。

我這一生，一直走在與你唱反調的道路上。但面對花草時，我們都柔軟了下來。我看花的眼神與你是一致的，專注、欣喜、安靜、滿足，世界驟然縮小，只剩下手中這朵花或者腳下這片草地。我與你，飄浮在塵世與命運中的兩個女人，通過花朵與野菜握手言和，通過吃花吃草越來越親近，這也是我沒有想到的吃花的另一個功能。

媽媽，這是我第一次給你寫信，也許你不喜歡這樣的方式，但我倆之間，無法用語言表述，只有文字也許能解釋我複雜與隱秘的愛。最後我想說，世事皆可原諒，我愛你，這三個字也許遲到了許多年，但在你八十歲生日這一天，我一定要讓你聽到。你聽到了嗎？

媽媽，姥姥替你陪著我呢

王馨漪

谷鴻雲女士：

你好，是不是很久沒有人這麼稱呼你了。在不到四十年的時間裡，你以姥姥姥爺的女兒，青兒活著，你以小姨、舅舅踏實的大姐活著，你以銀行裡值得信賴的谷姐活著，以及你以永遠不懂事的我的媽媽活著。辛苦了，雖然這句話很晚才和你說，但我真的很想和你說聲辛苦了。

你在一九六九年出生，在一九九四年有了我，我們之間隔著二十五年的時光。然後我們因為上天給的緣分，在一起了十餘年。這段時間裡，我一直以女兒的身份去認識你。但是在你走後，我開始試想，如果脫離了我們之間的血緣聯結，你又是個怎樣的你。

所以，我才會想著叫你的名字，來重新認識你。你知道嗎？放假在家的時候，姥姥看見我那個像狗窩一樣的床的時候，她總是會怪我說：「怎麼連你媽媽的一丁點好，你都沒有學會？」這個時候，我總會找理由，心想「學不好也好，誰又會再成為一個像你一樣的標桿呢」。

冬天的時候，我的皮膚很愛乾，雖然才二十幾歲，但是腳後跟總是會出現像是橘絡一樣的紋路，姥姥總是一邊給我找藥膏，一邊嘮叨地說：「好根不強，爛根窪。你媽媽的那點毛病，全到你身上了。」媽，你知道這個時候的我，聽到姥姥這麼說，竟然還有點開心。因為我覺得我們之間總算是又有點聯結了，不管這個聯結是好的還是壞的。

我有的時候，也會吃姥姥和小姨的醋。我和她們說，我都快把你和我在一起的經歷都忘了，你能指望一個十歲的孩子記得多少事情呢。但是她們不一樣，她們和你待的時間很久。姥姥會和我說，你媽當年考學很用功，但是就差了五分，那年她在家裡哭得很難過。你媽來例假的時候，會疼得在床上打滾……小姨會和我說，她和姨夫剛成家的時候，又生了雙胞胎的孩子，日子過得很難，她姐姐總會給她錢，幫襯著她。所以現在她和姨夫，會替她姐姐幫襯著我。

我們之間待了十餘年，又空了十餘年，我在和他們接觸的過程中，逐漸完成著對你的印象。所以有時候，我會覺得你真的還在。你在前三十五年的時間裡，完成著各種的角色扮演；在你空缺的年限裡，他們幫助著你完成著對我母親角色的扮演。因此，我很感激，老天能夠選中我當你的女兒。

在你走後的十多年裡，家裡發生了很多的變化。村裡進行了改造，除了家廟還保留外，剩下的都變成了樓房。姥姥姥爺終於可以不用再像從前一樣，過著需要到屋子外面上廁所冬天還要燒煤取暖的日子。他們搬上了樓房，冬天的暖氣很足，姥爺每天中午都能在假炕上打著呼嚕，睡得呼呼的。姥姥會每天定時在炕上做按摩，照顧著姥爺的起居。只不過有一點，讓姥姥感到不滿意。她總是會想起之前家裡那口用土做的大鍋，每當過年做菜的時候，她總會說要是還在原本的家裡，用著我那口鍋，這些菜早就做出來了……

從去年年末到今年年初，村子裡走了許多老人。姥姥姥爺總會在聽到消息後，再在一起盤算著村子裡的生死變化，這種感覺讓我很不舒服，像是在做告別，像是在倒計時一樣。

年初的時候，我把教師資格證考出來了，姥爺知道後感覺有點吃了定心丸的樣子。他會和我說「我和你姥姥運氣好點的話，應該就能看見你的婚禮了，我們現在就盼著你能找個好工作，早點成家，我們再堅持陪你幾年」。媽，你知道嗎？在此之前，我一直以為我放假回家是去陪他們，實際上是他們在替你陪著我。

今年是姥姥姥爺金婚五十週年，我們在二月二【日】那天一起去照了全家福，唯獨少了你的全家福。在此之前，姥爺把家裡的相冊全都換成新的了，那四個破舊的相冊裡，記載著姥姥姥爺的大半輩子、你的一輩子還有我的小輩子。在找拍照穿的衣服時候，姥姥翻出了你們之前買給她的首飾。她說，在她走後，要把你們給她的東西都還給你們，你給的，就順帶留給了我。

去拍照的時候，小姨怕我的身份尷尬，也懶得向照相的人解釋種種，就把我算進了他們的一家四口裡面。有時候，我會問她為什麼對我這麼好，她說要不然怎麼說姨媽也算半個媽呢。

媽，一時之間，和你絮絮叨叨了這麼多，你是不是發現我竟然有些話癆的潛質。其實，這些話，不能概括你走後十餘年間發生的半點變化，但總是要找出一些，說與你聽的。我知道，你也想聽。

媽，我今年二十四歲了，模樣比小時候長開了點，就是這身子肉總讓我發愁。長得越大，擁有的身份就會越多，但是在這麼些身份之中，我最想扮好的就是你的女兒的角色。像你一樣，成為弟弟們值得信賴的大姐，成為姥姥姥爺為之驕傲的外孫女，成為說出去會讓人覺得「有其母必有其女」的谷姐的女兒。

我一直在努力，雖然這一路走過來，很累，真的很累，但好在都慢慢地熬過來了。我們這邊都不用你掛念，我會替你照顧好他們，只此一點，我希望你能保護姥姥姥爺平安健康，再多多地陪我幾年。

最後還有一句，我很想你，媽。

女兒童童

親愛的阿爸

王曉佳

親愛的阿爸：

近來可安好？工作累不？手腕處還酸（痠）痛不？

初次給您寫信，一時也不知從何說起。回首這二十幾年的路，您的陪伴總是風雨無阻。許多的感恩情愫深深地藏於心底，卻未曾向您說過隻言片語。今父親節將至，我提筆寫信，以表寸草之心。

小時候，我總以為父親這詞就是代表著嚴厲苛刻。以前，我們五個小孩子總是以「老鼠畏貓」的心情面對您，因為您是一位標準的「嚴父」，容不得我們撒潑犯懶。為此，我們幾個都沒少挨過您的揍。那時會想自己究竟是不是您親生的？不然您下手怎麼會那麼「毫不猶豫」呢？直到後來，當我們長大後被別人誇循規蹈矩有教養時，才明白您當時是在教育我們應該怎麼做人。

小時候，我總以為「男兒有淚不輕彈」，更何況是我這「威武不可侵犯」的阿爸。直到後來，當我們得知家中小弟因先天性心臟病醫治無效離世都放聲大哭時，您看著我們，咬緊牙關，眼淚簌簌地往下掉，卻默默地忙前忙後，照顧老淚縱橫的阿嬤與幾經昏厥的阿媽。我才知道，「男兒有淚不輕彈」後面還有一句「只因未到傷心處」。小弟小小的墳堆就在阿公墳墓的不遠處。那之後每年上山掃墓，我們幾個都會過去除除草，擦擦那個小匣子。而您總是在阿公那邊埋頭除草，彷彿從不知道在這邊埋著您深愛的幼子似的。我知道，您怕再去觸碰那些痛徹心扉，惹下那些男兒之淚。

小時候，我總以為您強壯如山，是永遠不會生病的。因為從未見過您喊累，從未見過您有什麼身體不適。直到後來，您在田間勞作時突然腹痛異常，卻仍強忍劇痛獨自開摩托車回家，幾經周折後才被送到醫院急救。做完手術後的您，瘦瘦的，皮膚皺皺的，比之前衰老了許多。因術後一週不可進食，僅靠打點滴，您虛弱得說不出話來，只能用波瀾不驚的眼神安慰忐忑的我們。醫生說您的病是長期勞累與營養不良所致，當時情況緊急，若是再晚半個鐘，恐怕就壞事了。不幸中的萬幸，您撐過來了！在醫院幫您剪指甲時，我發現指甲中的已經乾了的田地的泥土，我背過身去，眼淚奪眶而出。辛苦了，阿爸！

時間過得飛快，我都已經大四了，眼看著就要畢業了，終於快可以為家裡分憂了。可每次回家，看著您越發增多的皺紋與白髮，我心裡的那份苦楚就會多一些。因為家裡蓋新房子，您總是滿身灰塵的，那件「經典外套」，髒兮兮、破破爛爛，看了總是覺得心酸。可您臉上流露的表情，總是平平靜靜、不卑不亢，有時還有點自豪，讓我覺得充滿生活的希望與信心。阿爸，您永遠是我們家每個人心裡最堅強的後盾，有您在，我們就安心，就什麼也不怕！

有一首關於父親的小詩，對我的觸動很大。

我站在父親的肩上，去摘星星。星星沒摘到，卻壓彎了父親的脊樑。我想放棄，父親卻說：「別往下看，你再試試。」

於是，每次遇到困難，每次感到沮喪，我都想起這首小詩，想起阿爸您這些年的言傳身教，便覺得無論再苦再難，我也要堅強。因為在我的背後，有您深沉的愛，堅定的支持與期許的眼光！感謝阿爸，我這棵小草定會盡力報答您春天般的光輝。

願一切安好！

王曉佳

二〇一四年五月二十日

兩地書

魯迅

D. H❶

此刻是二十九夜十二點，原以為可得你的來信的了，因為我料定你於廿一日的信以後，必已發了昨今可到的兩三信，但今未得，這一定是被奉安列車耽擱了，聽說星期一的通車，也還沒有到。

今天上午來了一個客，下午到未名社去，晚上他們邀我去吃晚飯，在東安市場森隆飯店，七點鐘到北大第二院演講一小時，聽者有千餘人，大約北平寂寞已久，所以學生們很以這類事為新鮮了。八時，尹默、鳳舉等又為我餞行！仍在森隆，不得不赴，但吃得少些，十一點才回寓。現已吃了三粒消化丸，寫了這一張信，即將睡覺了，因為明天早晨，須往西山看韋漱園❷去。

今天雖因得不到來信，稍覺悵悵，但我知道遲延的原因，所以睡得著的，並祝你在上海也睡得安適。

L. 二十九夜

三十日午後二時，我從西山訪韋漱園回來，果然得到你的廿三及廿五日兩封信，彼此都為郵局寄遞之忽遲忽早所捉弄，是令人生氣。但我知道你已經收到我的信，略得安慰，也就藉此稍稍自慰了。

今天我是早晨八點鐘上山的，用的是摩托車，霽野等四人同去。漱園還不准起坐，因日光浴，曬得很黑，也很瘦，但精神卻好，他很喜歡，談了許多閒天。病室壁上掛著一幅陀斯妥夫斯基的畫像，我有時瞥見這用筆墨使讀者受精神上的苦刑的名人的苦臉，便彷彿記得有人說過，漱園原有一個愛人，因為他沒有痊癒的希望，已與別人結婚，接著又感到他將終於死去——這是中國的一個損失——便覺得心臟一縮，暫時說不出話，然而也只得立刻裝出歡笑，除了這幾剎那之外，我們這回的聚談是很愉快的。

他也問些關於我們的事，我說了一個大略。他所聽到的似乎還有許多謠言，但不願談，我也不加追問。因為我推想得到，這一定是幾位教授所流布，實不過怕我去搶飯碗而已。然而我流宕三年了，並沒有餓死，何至於忽而去搶飯碗呢，這些地方，我覺得他們實在比我小氣。

今天得小峰信，云因戰事，書店生意皆不佳，但由分店劃給我二百元。不過此款現在還未交來。

你廿五的信今天到，則交通無阻可知，但四五日後就又難說，三日能走即走，否則當改海道，不過到滬當在十日前後了。總之，當選一最安全的走法，決不冒險，千萬放心。

L. 五月卅日下午五時

註釋

❶ D.H，魯迅對妻子許廣平的愛稱。此篇為一九二五年魯迅到北平省親期間給許廣平的信件之一。

❷ 漱園，即韋素園，未名社主要成員，翻譯家。

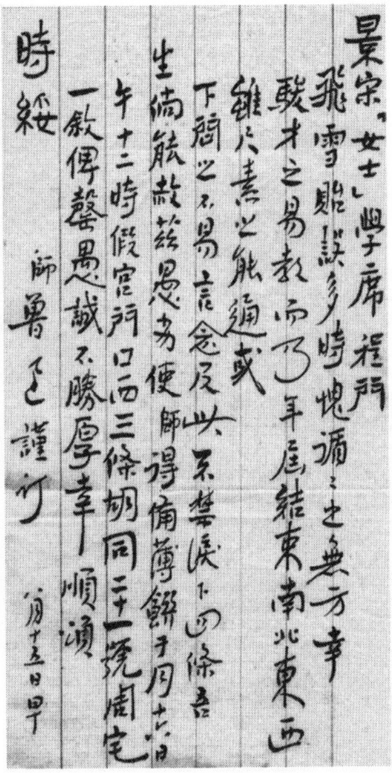

景宋"女士"學席　程門
飛雪　貽誤多時　愧循循之無方　幸
駿才之易教　而乃年屆結束　南北東西
雖尺素之能通　或
下問之不易　言念及此　不禁淚下四條　吾
生倘能赦茲愚劣　使師得備薄餅　于月十六日
午十二時假宮門口西三條胡同二十一號周宅
一敘　俾饗愚誠　不勝厚幸　順頌
時綏
師　魯迅　謹訂　六月十五日早

1　（左）魯迅全家福，攝於1930年9月25日。

2　（右）1926年，魯迅致景宋（許廣平）信札。

許地山寫給妻子周俟松的信

許地山

六妹子：❶

五月九日和十四日的信都接到了，我現在只等款，款一來，馬上就走。這封是最後的飛機信，此後還是每星期一給你信，你可以不必回信。若我的船位定好了，你可由飛機遞到各埠船公司轉給我。

寫信給老太爺，我自從到這裡來，一步也沒走開，沒什麼可報告的。許多地方應當去的都還沒去。上星期趕著雨季之前到阿前多和伊羅去參拜佛教遺跡，用了一百元左右。在伊羅洞外約十里的叢林中遇見一隻約一丈長（連尾巴）的大豹，險些性命丟給豹做大餐。那天（五月廿七）在道上遇見許多小野獸，因為洞離城市十七英里，我同一個學生坐馬車去底，馬車走三點鐘才到。回來時，日已平西，過那叢林，已不見太陽，正是猛獸出來找吃

1 許地山像

的時候。車上三個人，一面走一面談，忽然車伕嚷說：「看！老虎在道上走！怎辦？」那時已是黃昏後，幸虧是月明時候，車伕也有經驗，他說：「坐定了，提防著！」把馬鞭了一下，走近那大豹約十碼之地，車伕鞭車篷，發出大響聲。那豹一雙大眼睛看著我們，搖著尾巴，慢慢走到溪邊去了。車伕看的是老虎，我看的是豹，可惜光不足，不然照一張相片回家，多麼有意思！當時並不覺危險，事後越想越玄，幾乎晚上都睡不著，回家躺了好幾天。那同去的學生太不關心，在走以前，我買了一本指導書（本地文）教他先看，看明白了再走，他沒看。到那晚上，回家，他才翻起來看，說：「指導書裡也說在太陽未落山以前就得離開洞口，道上時常有野獸來往。」我聽了，真是有氣。印度人的不負責任，從這一點就可以看出來。還有一種愛佔便宜的習慣，更令人看不慣。這宿舍，因為暑假，只住著四個人（連我算），那三個人，短什麼東西，都到我屋裡來借、來取，像我是他們的管家。胰子、牙膏、洋蠟、墨水、郵票、信封、信紙等等，凡是用所需，應備的都不自己去買，等我買回來，他們要現成。有時自己有，留著，先用別人的。有一天，出門，用旱傘，那個女學生的哥哥來說：「請把旱傘借我使使。」我說：「我的旱傘有一點破，不好使，你還是使你自己的罷。」因為我知道他有。他說：「我的也有點破，反正你是要修理的，多裂一點，並不多花錢。」從我手裡硬奪過去。你說世上真有這樣人！出門去玩，吃東西，坐車，若是用他們的錢，回家一個子也算得清清楚楚，若是用我的，就當我請了客！在這裡住的，個個家裡都是十幾廿萬家事的子弟，還是這樣酸，其他可想。所以這幾個月，住在此地，天天都有氣，我又面軟，不便說什麼，又不願意得罪他們，這使他們想著我比他們更有錢。

燕京的房子，是不是「四美軒」或「三松堂」後面的那座？沒自來水，所以把現在的抽水機移出去，錢要燕京花，把那水機送燕京都可以，但要高水池和水管。海甸地低，用不著打多深，所以水櫃可以放在房頂上。

《藏經》消息又沉了，我想還是找李鏡池，❷分期交款辦法本可以辦，你主張（一次交款）不成，也許他們不要了，你可寫信到上海。叫有騫先把書寄去，我到廣州再同鏡池交涉，或是你寫信給鏡池，應許他分期交款，看他怎回答。那書不賣，恐怕以後越難出去。日本金水跌得低，他們也許可以直接去訂。

我定十五六【日】離開此地，到孟買去定船。看這光景，是不能遊歷了。到現在錢還沒來，教我真沒辦法。這次買船票先到香港，廣州再住幾天，轉回漳州，把幾盆蘭花帶回來。我還要到南京去，找幾個朋友。所以頂快也得七月中才能到家。

我身邊只剩下三百盧比，❸若買三等票，也可以到香港。這兩天就得定船位，下星期若錢還不來，真得定三等。日本船便宜，可不敢坐。歐洲船三等，不曉得怎樣，還得打聽。如有關國總統船，三等也可以。大概我會搭三等回家，我想我沒來由借錢坐二等。

再談吧。

地山

〔一九三四年〕六月九日

註釋

❶ 六妹子，許地山對妻子周俟松的稱呼。此篇為一九三四年許地山往印度考察時寫的家書。

❷ 李鏡池，字聖東，國學研究上師從陳垣，時任華南師範學院（今為華南師範大學）中文系教授。

❸ 盧比，為印度法定貨幣。

我從沒有這樣地愛過人

郁達夫

映霞：

這一封信，希望你保存著，可以作我們兩人這次交往的紀念。

兩個月以來，我把什麼都忘掉。為了你，我情願把家庭、名譽、地位，甚至生命都丟棄。我幾次對你說，我從沒有這樣地愛過人，我的愛是無條件的，是可以犧牲一切的，是如猛火電光，非燒盡己身不可的。因此我幾次地要求你不要疑我的卑污，不要遠避開我，不要於見我的時候要拉一個第三者在內。

好不容易你答應了我一次，總算和你談了半天。那一夜回家，仍舊是沒有睡著，早晨起來，就接到了你一封信。你的信裡依舊是說，我們兩人在這期間內，還是少見面的好。你的苦衷，我未嘗不曉得。因為你還是一個無瑕的閨女，和男子來往交遊，於名譽上有絕大的損失，並且我是一個已婚之人，尤其容易使人誤會。你年紀還輕，將來總是要結婚的，所以你希望我趕快把我的身子弄得清清爽爽，可以正式地和你舉行婚禮。

由這兩層原因看來，你最重視的是名譽，其次是結婚，最後才是兩人之間的愛情。由我講來，現在我最重視的是熱烈的愛，是盲目的愛，是可以犧牲一切，朝不能待夕的愛。此外的一切，在愛的面前，都只有和塵沙一樣的價值。

真正的愛，是不容利害打算的念頭存在於其間的。這一種愛情的保持，需要日日見面，日日談心，才可以使它長成，使它淨化，使它長存於天地之間。如果兩個人已經感到了愛情，卻還可以長久不見面，那麼結婚和同居的那些事情，簡直可以不要。

我和我女人的訂婚，完全是由父母做主在我三歲的時候定下的。後來我長大了，有了知識，覺得兩人中間終不能發生出情愛來。我的對抗方法，就是長年避居在日本。所以結婚之後，到如今將滿六載，而我和她同住的時候，加起來也不到半年。

因為我對我的女人沒有愛情，所以長年漂流在外，很久不見面，我也覺得沒什麼。從我自己的這個經驗推想起來，我今天才得到了一個確實的結論，就是現在的你，對我所感到的情愛，等於我對於我自己的女人所感到的情愛一樣。在你看來，和我長年不見，也是沒有什麼的。

既然是如此，那麼映霞，我真是對不起你了。愛情本來要兩人同等的感到，同樣的表示，才能圓滿成立，才能好好結果，才能使兩方感到一樣的愉快。像現在我們這樣的愛情，只是我一面的庸人自擾，並不是真正合乎愛情的原則的。我若是有良心的人，我若不是一個利己者，那麼我現在第一就要先解除你的痛苦。

因為你，我這次體會到了情愛的本質，才曉得熱烈地想念愛人的時候，心境是如何地緊張的。你愛我，並不是真正地由你本心而發，不過是我的熱情的反響而已。我這裡燃燒得越烈，你那裡也痛苦得越深。我覺得這樣下去，我的苦楚倒還有限，你的苦楚，未免太大了。

今天想了一個下午，晚上又想了半夜，我才有了這個結論。我絲毫沒有怨你的心思，現在我也還在愛你。正因為愛你的原因，所以我想解除你現在的苦痛。此後，我想遵守你的話，永遠將你留置在我的心靈上膜拜。

映霞，我還希望你不要因此而斷絕了我們的友誼。把我之致累於你的事情，想得輕一點，想得開一點吧！這完全是我一個人自不量力瞎闖的結果，你不過是一個受難者，一個被瘋狗咬了的人，你對我本來沒有什麼好惡之感，沒有什麼男女的私情。萬一你要證明你的清白，證明你的高尚，有將這一封信發表的必要時，我也沒有什麼反對意見。不過，如若沒有這一種必要，我還是希望你保存到我死後再發表。

最後我還要重說一句，你所希望我的，規勸我的話，我以後一定牢牢地記著。假使我將來若有一點成就，那麼我的這一點榮耀，全部歸贈給你。

映霞，映霞，我寫完了這一封信，眼淚就忍不住地往下掉了。

我……我……

達夫上

一九二七年三月四日

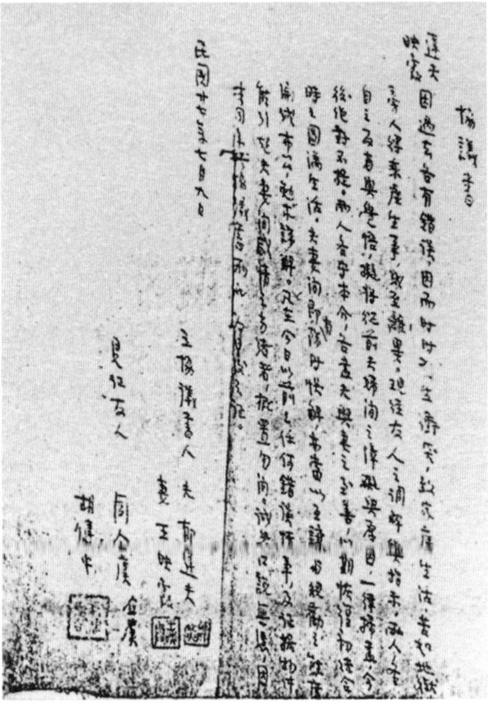

協議書

達夫
映霞 因過去各有錯誤，因而時時發生衝突，致家庭生活，苦如地獄，旁人得乘虛生事，以至離異。現經友人之調解與指示，兩人各自之前非，各自悔悟，擬將從前夫婦間之障礙與原因，一律掃盡，今後絕對不提。兩人各守本分，各盡夫與妻之至善，以期恢復初結合時之圓滿生活。夫妻間即偶有[illegible]，亦當以至誠相見，[illegible]。凡在今日以前之任何錯誤所牽涉之事件物件，[illegible]夫妻間感情之[illegible]者，概置勿論，[illegible]。[illegible]

立協議書人 夫 郁達夫
妻 王映霞

見證友人 周企虞
胡健中

民國廿七年七月九日

1 （左上）郁達夫與王映霞合照

2 （右下）圖為郁達夫與王映霞的《和好協議書》

我的肝腸寸寸地斷了

徐志摩

小曼：

我的肝腸寸寸地斷了。今晚再不好好地給你寫一封信，再不把我的心給你看，我就不配愛你，就不配受你的愛。你方才心頭一陣陣的絞痛，我在旁邊只是咬緊牙關，閉著眼替你熬著。小曼呀，讓你血液裡的討命鬼來找著我吧，叫我眼看著你這樣生生地受罪，我什麼意念都變成了灰了。

離別，當然是你今晚縱酒的原因。但假如今晚你不喝酒，我卻要硬著頭皮對你說再會，你會比醉酒的苦好受嗎？咳，你自己說得對，頂好是醉死了完事。要醉就同醉，要死也死在一起，醉也是一體，死也是一體，要哭讓眼淚合成一起，要心跳讓你我的胸膛貼緊在一起，只要我們靈魂合成了一體，這不就是在極苦裡實現了我們嚮往的極樂，從醉的大門走進了大解脫的境界嗎？

我的小曼，現在你睡熟了沒有？你知不知道，你的愛正在含著兩眼熱淚，在這深夜裡和你說話，想你，疼你，安慰你，愛你？我好恨呀，這一層層的隔膜，真的全是隔膜。彷彿是你淹在水裡掙扎著要活命，他們卻擲下瓦片石塊來，算是救渡你！

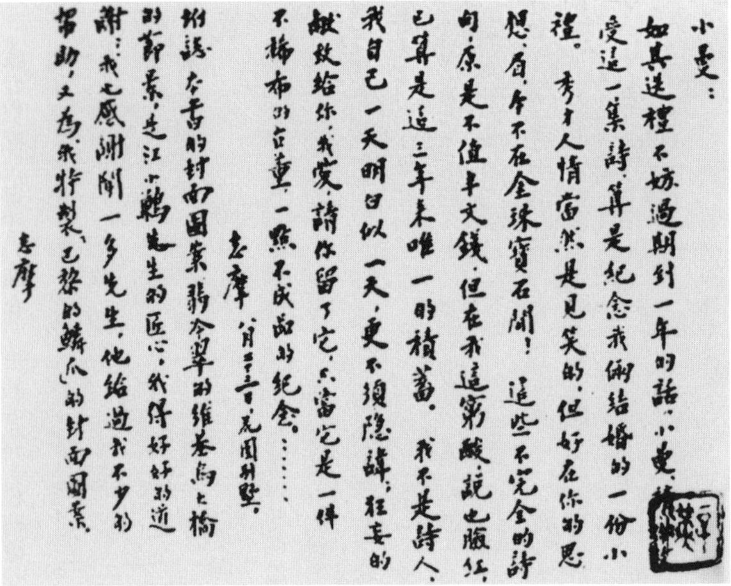

小曼：
如其送禮不妨過期到一年的話，小曼，請你收受這一集詩，算是紀念我倆結婚的一份小禮。秀才人情當然是見笑的，但好在你的思想，原不在金珠寶石間！這些不完全的詩句，原是不值半文錢，但在我這窮酸，說也臉紅，已算是這三年來唯一的積蓄。我不是詩人，我自己一天明白似一天，更不須隱諱；狂妄的獻致給你，我愛，請你留了它，只當它是一件不稀希的古董，一點不成品的紀念……

志摩 八月二十三日花園別墅

附誌：本書的封面圖案翡冷翠的維基烏大橋的節景，是江小鶼先生的匠心，我得好好的道謝……我也感謝聞一多先生，他給過我不少的幫助，又為我特製「巴黎的鱗爪」的封面圖案。

志摩

1 《翡冷翠的一夜》是徐志摩對陸小曼的愛情宣言。圖為序文手跡。

我好恨呀。方才只能在旁邊站著看。我稍微一幫助，就要受人干涉，那意思是說：「不勞費心，這不關你的事。請你早點去休息吧，她不用你管。」

哼，你不用我管？我這難受，你大約也有些知覺吧。剛才你接連叫著：「我不是醉，我只是難受，只是心裡苦。」你的話一聲聲像是鋼鐵錐子刺著我的心，各種情緒就像潮水似的湧上了胸頭。那時我就覺得什麼都不怕，勇氣像天一般的高，只要你一句話出口，什麼事我都幹！為你我拋棄了一切，還顧得什麼性命與名譽？

你多美呀，我酒醉後的小曼，你那慘白的顏色與靜定的眉目，使我想像起你最後解脫時的形容，使我覺著有一種逼迫讚美崇拜的激震，使我覺著有一種美滿的和諧。小曼，我的至愛，將來你永訣塵俗的瞬間，不能沒有我在你的身邊，你最後的呼吸，一定要明白地報告給這世間，你的心是誰的，你的愛是誰的，你的靈魂是誰的。小曼呀，你應當知道我是怎樣地愛你。你佔有了我的愛，我的靈，我的肉，我的整個兒永遠在我愛的身旁放置著，永久地纏繞著。

真的，小曼，你已經激動了我的癡情。我說出來你不要怕，我有時真想拉你一同死去，去到絕對的死的寂滅裡，去實現完全的愛，去到黑暗裡尋求唯一的光明。咳，今晚要是你有一杯毒藥在近旁，此時你我也許早已在極樂世界了。我真的不留戀這形式的生命，我只求一個同伴，有了同伴我就情願欣慰地瞑目。小曼，你不是已經答應了我，做我永久的同伴了嗎？我再不能放鬆你，我的心肝，你是我的，你是我這一輩子唯一的成就，你是我的生命，我的詩。你完全是我的，一個個細胞都是我的，你要說半個不字，叫天雷打死我完事。

我再有十幾個鐘頭就要走了，丟開你走了。我人雖然走了，我的心不離開你。我相信你的勇氣。你已經有了努力的方向，我預知你一定成功。上前去吧，彼此不要再辜負了。再會！

志摩

一九一五年三月十日早三時

我要往前走

陸小曼

志摩：

昨天給你寫完信後，他，來了。談了半天。他倒是個很好的朋友。他說他那天在車站看見我的臉，嚇一跳，蒼白得好像死去一般。他知道我那時的心一定是難過到極點了。他還說，外邊的謠言極多。有人說我要離婚了。又有人說志摩一定是不真愛我，若是真愛，是決不肯丟下我遠去的。真可笑，外頭人不知道為什麼都跟我有緣似的，無論男女，都愛將我當一個談話的好材料，沒什麼可說的也要想法兒造點出來說，真是奇了怪了。

志摩，為了你，我還是拚命幹一下的好。我要往前走，不管前面有幾多的荊棘，我一定直著脖子走，非到筋疲力盡，

1 年輕時的陸小曼獨照

我是決不回頭的。因為你是真正認識了我的人。你不但認識我的表面，你還認清了我的內心。我本來老是自恨，為什麼沒有人認識我，為什麼人家全拿我當一個只會玩、只會穿的女子。可是我雖然恨，卻並不怪人家。本來人們只看外表，誰又能真生出一雙妙眼來，看透人的內心呢？

在這個黑暗的世界，又有幾個人是肯讓真實的性靈透露出來的？像我自己，還不是一樣成天埋沒了本性，以假對人的嗎？只有你，志摩，你是第一個能從一切的假言假笑中，看透了我的真心，認識了我的苦痛，叫我怎能不從此收起以往的假而給你一片真呢？我自從認識了你，我就有改變生活的決心。為你，我一定認真地做人了。

昨晚想你，想你現在一定已經看得見西伯利亞的白雪了。不過，你眼前雖有不易看到的美景，可你身旁沒有了陪伴你的我，你一定也同我現在一樣地感覺著寂寞，一樣是心裡叫著痛苦的吧！我從前常聽人說，生離死別是人生最難忍受的事情，我老是笑著說人癡情，今天才身受著這種說不出叫不明的痛苦，生離已經夠受了，死別的滋味，想必更不堪設想吧。

回家陪娘去看病，在車中我探了探她的口氣。我說照這樣的日子再往下過，我怕我的身體上要擔受不起了。她倒反說我自尋煩惱，自找痛苦，好好的日子不過，一天到晚只是去模仿外國小說上的行為，講愛情，說什麼精神上痛苦不痛苦，那些無味的話有什麼道理。

在她們看來，夫榮子貴是女人莫大的幸福，個人的喜怒哀樂就不是個問題。所以也難怪她不能明瞭我的苦楚。從前多少女子，為了怕人罵，怕人背後批評，甘願犧牲自己的快樂與身體，怨死閨中。她們可憐，至死還不明白是什麼害了她們。志摩，我今天很運氣能夠遇著你，在我不認識你以前，我的思想，我的觀念，也同她們一樣，我也是一樣的沒有勇氣，一樣的預備就這樣糊裡糊塗地一天天過下去。自從見著你，我才像烏雲裡見了青天，我才知道自埋自身是不應該的，做人為什麼不轟轟烈烈地做一番呢？我願意從此跟你往高處飛，往明處走，永遠不再自暴自棄了。

小曼

〔一九二五年〕三月二十二日

蔣光慈寫給戀人宋若瑜的信

蔣光慈

親愛的瑜妹：

五月二十九日的信收到了。

你千萬不要生氣！你的學生之所以這般的設法挽留你，亦不過是過於愛你，不願與你離別，並沒有什麼惡意。我並不因為她們寫信怨我生氣，我很原諒她們，我請你也原諒她們罷。你不必認真與她們計較，傷了感情倒是很不好的事情。

你決定下學期不在二女師❶教書了，我極贊成。你還是在求學時代，現在應有求學的機會，無論進學校或是自修，但還是要求學。

你決定暑假來北京看看我，安慰安慰我們六年來的相思，這是我唯一希望的事情！我的瑜妹！我相信你，但是我們都是人，都具有通常人的習慣——早些見面總比遲些見面好些，會聚總比不會聚快樂些，握著手兒談話總比拿起筆寫信要舒暢些。我的瑜妹！你以為？

你因為瞭解我，相信我，才能這般誠懇地、熱烈地愛我——我的瑜妹！這是實在的，我相信你，我相信你。「俠僧❷究竟能否永遠地愛你？」這也是很自然的疑問。凡是一個人過於戀愛某一個人的時候，常常要起許多疑問，發生過多猜度。不過，我的親愛的，你可不必這樣的〔地〕疑問；你倘若相信自己能永遠地愛俠僧，那同時也就可以相信俠僧能永遠地愛你了。我的瑜妹，請你放十二分的寬心罷！

讀了你這一封信，我更覺著有無限的愉快！我並不以為你是一個生怕死的貴族式的女子；不過我有時卻想到，通常因為物質生活的關係，或因思想的不同易發生愛情的阻礙。這個我當然不能以為你將來不能同甘共苦，不過我也同你一樣，常常起一些疑問罷了。讀了你這封信，我覺得我這種疑問是不必的，此後我在你身上將不發生任何疑問。凡是你所說的，我都完全領受，我都完全相信。我的瑜妹，你是我司文藝的女神，你是我的靈魂，我怎能在你身上發生疑問呢？

海可枯，石可爛，我倆的愛情不可滅！

我的瑜妹！

祝你珍重！

你愛的俠哥

〔一九二五年〕六月三日

註釋

❶「二女師」疑指信陽省立第二女子師範學校，宋若瑜曾任教於其附屬小學。

❷ 俠僧，為蔣光慈之別名。

小船上的信（一九三四年一月十三日第一信）

沈從文

船在慢慢地上灘，我背船坐在被蓋裡，用自來水筆來給你寫封長信。這樣坐下寫信並不吃力，你放心。這時已經三點鐘，還可以走兩個鐘頭。應停泊在什麼地方，照俗諺說，「行船莫算，打架莫看」，我不過問。大約可再走廿里，應歇下時，船就泊到小村邊去，可保平安無事。船泊定後我必可上岸去畫張畫。你不知見到了我常德長堤那張畫不？那張窄的長的。這裡小河兩岸全是如此美麗動人，我畫得出它的輪廓，但聲音、顏色、光，可永遠無本領畫出了。你實在應來這小河裡看看，你看過一次，所得的也許比我還多，就因為你夢裡也不會想到的光景，一到這船上，便無不朗然入目了。這種時節兩邊岸上還是綠樹青山，水則透明如無物，小船用兩個人拉著，便在這種清水裡向上滑行，水底全是各色各樣的石子。舵手抿起個嘴唇微笑，我問他：「姓什麼？」「姓劉。」「在這條河裡劃了幾年船？」「我今年五十三，十六歲就划船。」來，三三，❶請你為我算算這個數目。這人厲害得很，四百里的河道，漲水乾涸河道的變遷，他無不明明白白。他知道這河裡有多少灘、多少潭。看那樣子，若許我來形容形容，他還可以說知道這河中有多少石頭！是的，凡是較大的，知名的石頭，他無一不知！水手一共是三個，除了舵手在後面管舵管篷管纖索的伸縮，前面艙板有兩個人。其中一個是小孩子，一個是大人。兩個人的職務是船在灘上時，就撐急水篙，左邊右邊下篙，把鋼鑽打得水中石頭作出好聽的聲音。到長潭時則蕩槳，躬起個腰推扶長槳，把水弄得嘩嘩的，聲音也很幽靜溫柔。到急水灘時，則兩人背了纖索，把船拉去，水急了些，吃力時就伏在石灘上，手足並用地爬行上去。船是隻新船，油得黃黃的，乾淨得可以作為教堂的神龕。我臥的地方較低一些，可聽得出水在船底流過的細碎聲音。前艙用板隔斷，故我可以不被風吹。我坐的是後面，凡為船後的天、地、水，我全可以看到。我就這樣一面看水一面想你。我快樂，就想應當同你快樂，我悶，就想要你在我必可以不悶。我同船老闆吃飯，我盼望你也在一角吃飯。我至少還得在船上過七個日子，還不把下行的計算在內。你說，這七個日子我怎麼辦？天氣又不得好，並無太陽，天是灰灰的，一切較遠的邊岸小山同樹木，皆裹在一層輕霧裡，我又不能照相，也不宜畫畫。看看船走動時的情形，我還可以在上面寫文章，感謝天，我的文章既然提到的是水上的事，在船上實在太方便了。倘若寫文章得選擇一個地方，我如今所在的地方是太好了一點些。不過我離得你那麼遠，文章如何寫得下去。「我不能寫文章，就寫信。」我這麼打算，我一定做到。我每天可以寫四張，若寫完四張事情還不說完，我再寫。這隻手既然離開了你，也只有那麼來折磨它了。

我來再說點船上事情吧。船現在正在上灘，有白浪在船旁奔馳，我不怕，船上除了寂寞，別的是無可怕的。我只怕寂寞。但這也正可訓練一下我自己。我知道對我這人不宜太好，到你身邊，我有時真會使你皺眉。我疏忽了你，使我疏忽的原因便只是你待我太好，縱容了我。但你一生氣，我即刻就不同了。現在則用一件人事把兩人分開，用別離來訓練我，我明白你如何在支配我管領我！為了只想同你說話，我便鑽進被蓋中去，閉著眼睛。你瞧，這小船多好！你聽，水聲多幽雅！你聽，船那麼軋軋響著，它在說話！它說：「兩個人盡管說笑，不必擔心那掌舵人。他的職務在看水，他忙著。」船真軋軋的響著。可是我如今同誰去說？我不高興！

夢裡來趕我吧，我的船是黃的，船主名字叫作「童松柏」，桃源縣人。儘管從夢裡趕來，沿了我所畫的小堤一直向西走，沿河的船雖萬萬千千，我的船你自然會認識的。這裡地方狗並不咬人，不必在夢裡為狗嚇醒！

你們為我預備的鋪蓋，下面太薄了點，上面太硬了點，故我很不暖和，在旅館已嫌不夠，到了船上可更糟了。蓋的那床被大而不暖，不知為什麼獨選著它陪我旅行。我在常德買了一斤臘肝、半斤臘肉，在船上吃飯很合適……莫說吃的吧，因為搖船歌又在我耳邊響著了，多美麗的聲音！

我們的船在煮飯了，煙味兒不討人嫌。我們吃的飯是粗米飯，很香很好吃。可惜我們忘了帶點豆腐乳，忘了帶點北京醬菜。想不到的是路上那麼方便，早知道那麼方便，我們還可帶許多北京寶貝來上面，當「真寶貝」去送人！

你這時節應當在桌邊做事的。

山水美得很，我想你一同來坐在艙裡，從窗口望那點紫色的小山。我想讓一個木筏使你驚訝，因為那木筏上面還種菜！我想要你來使我的手暖和一些……

十三日下午五時

註釋

❶ 三三，為沈從文對妻子張兆和的稱呼。

1 年輕時的沈從文與張兆和合影

2 20世紀30年代，張兆和、沈從文、張宗和、張充和（從左至右）在北平溜冰場留影。

不只是喜歡而已

朱生豪

宋：

才板著臉孔帶著衝動寫給你一封信，讀了輕鬆的來書，又使我的心馳放了下來。叫他們拿給你看的那信已經看到？有些可笑吧，還是生氣？實在是，邇來心裡很受些氣悶，比如說人以為我不應該愛你之類；而兩個多月來離群索居的生活，使我脫離了一向沉迷著的感傷的情緒的氛圍，有著靜味一切的機會，也確使我漸對過去的夢發生厭棄，而有努力做人的意思。

我真希望你是個男孩子，就這一年匆匆的相聚，彼此也真太拘束得苦。其實別說你是那麼乾淨那麼真純，就是一些人的冷眼，也會把我更有力地拉近了你的。我沒有和平常人那樣只鬧一回戀情的把戲，過後便撒手了的意思，我只希望把你當作自己弟弟一樣親愛。論年歲我不比你大什麼，憂患比你經過多，人生的經驗則不見比你豐富什麼，但就自己所有的學問，幾年來冷靜的觀察與思索，以及早入世諸點上，也許確能做一個對你有一點益處的朋友，不只是一個溫柔的好男子而已。

對於你，我希望你能鍛煉自己，成為一個堅強的人，不要甘心做一個女人（你不會甘心於平凡，這是我相信的），總得從重重的桎梏裡把自己的心靈解放出來，時時有毀滅破舊的一切的勇氣（如其有一天你覺得我對於你已太無用處，盡可以一腳踢開我，我不會怨你半分），耐得了苦，受得住人家的譏笑與輕蔑，不要有什麼小姐式的感傷，只時時向未來睜開你的慧眼，也不用擔心什麼恐懼什麼，只努力使自己身體感情各方面都堅強起來，我將永遠是你的可以信託的好朋友，信得過我嗎？

也許真會有那麼海闊天空的一天，我們大家都夢想著的一天！我們不都是自由的渴慕者嗎？現在的你，確實是太使我歡喜的，你是我心裡頂溺愛的人。但如其有那麼一天我看見你，臉孔那麼黑黑的，頭髮那麼短短的，臂膀不像現在那麼瘦小得不盈一握，而是堅實而有力的，走起路來，胸膛挺挺的，眼睛明明的發光，說話也沉著了，一個純粹自由國土裡的國民（你相信我不會愛一個「古典美人」，雖然從前我曾把林黛玉作為我的理想過），那時我真要抱著你快活得流淚了。也許那時我到底是一個弱者，那時我一定不敢見你，但我會躲在路旁看著你，而心裡想，從前我曾愛過這個人……這安慰也盡可以帶著我到墳墓裡去而安心了。這樣的夢想，也許是太美麗了，但你能接受我的意思嗎？

為了你，我也有走向光明的熱望，世界不會於我太寂寞。

來信與詩，都使我快活。每回你信來，往往懷著感激的心情，不只是歡喜而已。詩以較高的標準批評起來，當然不算頂好，以你的舊詩的學力而言，是很可以滿意的了。第一首嫣嫣二字改為空撲吧。三四句平順無疵。總（縱）觀四句，略欠呼應，天上人間句略嫩，聽之。此詩改為：

霞落遙山黯淡煙，殘香空撲採蓮船。
晚涼新月人歸去，天上人間未許圓。

（兩「人」字重複，因此讀上去覺不順口，倘把「人歸去」的「人」改為「郎」字，卻是一首輕倩的民歌。也許你會嫌太佻，但末句本不莊，故前面的「人」字不能改為「君」字。）新月映帶未許圓，使「天上」二字不落空。

第二首全體妥。「糜」用得新，也許你用時是無意的？

第三首第二句微波漪漣重複，「漪」字平仄不對；第四句萬般往事俗，改為年年心事即佳。全首改為：

無端明月又重圓，波面流晶漾細漣；
如此溪山渾若夢，年年心事逐輕煙。

三首情調輕靈得很，雖然還少新意，不愧是我的高足，我該自傲不是？

前次絕句二十首之後，又做了十一首，沒有給你看。前面幾首較好：

春水橋頭細柳魂，綠蕪園內鷓鴣痕，
蜀葵花落黃蜂靜，燕子樓深白日昏。

倚劍朗吟毵字欄，晚禽紅樹女蘿殘，
何當躍馬橫戈去，易水蕭蕭蘆荻寒。

半臂暈紅側笑嫣，綠漪時掀採蓮船，
蓮魂儂魂花儂色，蛙唱滿湖蓮葉圓。

遲雪沖寒鶴羽毵，偶爾解渴落茅庵，
紅梅白梅相對冷，小尼洗硯蹲寒潭。

略有宋詩調子，第三、四兩首，都故作拗句。又第九首：

秋花銷瘦春花肥，一樣風煙雨露霏，
蕭郎吟斷數根鬚，懊惱花前白袷衣。

第十一首：

燕子輕狂蝴蝶憨，滿園花舞一天藍。
仙人年幼翅如玉，笑澈銀鈴酡臉酣。

則是我詩裡特有的童話似的情調。

天涼氣靜，願安心讀書，好好保重。

朱朱　廿三夜

秋興雜詩七首，本沒有給你看的意思，但張荃既有信給我，也不妨抄卜來並給伊一讀，我沒有另外給伊寫信的心向。

美國家書（一九八七年）

汪曾祺

松卿：

我下月旅遊行程已定。十月三十一日離開愛荷華，在紐約住六天，然後乘火車至費城。在費城住五天。十一月十一日從費城到波士頓，十四日離波士頓經芝加哥回到愛荷華。

我在紐約住王浩家。費城住李又安家。波士頓哈佛大學會安排。一路都會有人接送，不致丟失，請放心。我在費城的賓州大學和哈佛都將做非正式的演講，講題一樣：傳統文化對中國當代文學創作的影響。

今天是中秋節，聶華苓邀我及其他客人家宴，菜甚可口，且有蔣勳母親寄來的月餅。有極好的威士忌，我怕酒後失態，未能過癮。美國人不過中秋，安格爾不解何為中秋，我不得不跟他解釋，從嫦娥奔月，中國的三大節，中秋實是豐收節，直至八月十五殺韃子……他還是不甚了了。月亮甚好，但大家都未開門一看。

按聶的建議，我和古華明晚將邀七八個作家到宿舍一聚，我正在煮茶葉蛋。（中秋節夜一時）

我們已經請了幾個作家。茶葉蛋、拌扁豆、豆腐乾、土豆片、花生米。他們很高興，把我帶來的一瓶瀘州大曲、一瓶Vodka全部喝光，談到十二點。聶建議我們還要請　次，名單由她擬定。到program來，其實主要是交際交際，增加一點瞭解，真要深入地探討什麼問題，是不可能的。

昨天去聽了一次新英格蘭樂隊的輕音樂，水平很低。聶、安、古、蔣勳休息時即退場。聶問我如何，我說像上海大減價的音樂，她大笑，說：「你真是煞風景。」又說：「很對，很對，很像！」

昨晚芬蘭的Risto回請我和古華，說是dinner，實際只有咖啡、芬蘭餅（大概是蕎麥做的），一瓶芬蘭Vodka。主要的菜倒是他請我做的茶葉蛋。鬧半天，他是對我們做一次採訪。他對中國很感興趣，也頗瞭解，問了很多問題，文學、政治、哲學、心理學、書法……他的夫人是詩人，又是《芬蘭晨報》的記者。我問今天的談話，他們是否要整理發表。他們說：要。我想我們的談話都沒有問題，要發表就發表吧。

今天是安格爾的生日（七十九歲），晚上請大家去喝酒，謝絕禮物，但希望大家唸唸詩、唱歌、表演舞蹈。我給他寫了一首詩：「安寓堪安寓（他家的門上釘了一塊銅牌，刻字兩行，上面一行是Engle，下面是中文的「安寓」），秋來萬樹紅。此間何人生？天地一詩翁。此翁真健者，鶴發面如童。才思猶俊逸，步態不龍鍾。心閒如靜水，無事亦匆匆。彎腰拾山果，投食食浣熊。大笑時拍案，小飲自從容。何物同君壽？南山頂上松。」安的女兒藍藍昨天到這裡看了，說把她爸爸的神態都寫出來了。

我帶來的畫少了，不夠分配，宣紙也不夠用。

我決定把《聊齋新義》先在《華僑日報》發表一下。台灣來的黃凡希望我給台灣的《聯合文學》，說是稿費很高，每一個字一角五分美金。但如在台灣發表，國內就不好再發表。在美國發表，國內發，無此問題。《華僑日報》是左派報紙，也應該支持他們一下。人不能淨為錢著想。十五日《華僑日報》的王渝和劉心武均到〔State of〕Iowa，我想當面和他們談一談。先跟心武說說。

古華想在〔State of〕Iowa待到十二月十五日，再到舊金山一帶去。這樣就得申請延長護照。我現在想從波士頓回到〔State of〕Iowa後，哪裡也不去了。大峽谷，黃石公園，也就是那麼回事。十一月十四日回到〔State of〕Iowa至十二月十五日，還有一個月，我可以寫一點東西。繼續改寫《聊齋》。我帶來的《聊齋》是選本，可改的沒有了。聶那裡估計有全本，我想能再有幾篇可改的。另外也可以寫寫美國雜記。

十日到密蘇里州漢尼城堡看了看馬克·吐溫的故鄉。看了《湯姆·索亞歷險記》的背景Camero Cave。這個cave和中國的山洞不一樣，不是鐘乳石的，是黃色的石頭的，裡面是一些曲曲折折的大裂縫。石頭上有很多人刻的名字，美國人也有「到此一遊」之風。到處看看而已，沒有多深的印象。密西西比河有一段很美。馬克·吐溫紀念館沒有中國譯本（有一本台灣的），我要建議作協給紀念館寄幾本來。

曾祺　〔一九八七年九月〕十二日

胡孟晉寫給妻子張惠的信

胡孟晉

最親愛的惠呵：

我們又要離別了！當你聽了離別的聲音，或者不高興吧！

親愛的，誰不願骨肉的團聚，誰不留戀家庭的甜蜜。要知道國家民族重要，比個人前途重要，因此又要別離親人，而遠征他鄉了。

為了你的寂寞，為了你的思念，千里外的我，暫時停了救國的工作，越津浦跨淮南，到達別離一載的故鄉來。二月來的團聚歡談，暢言國事，解釋問題，你的政治水準提高了，民族意識加強了，革命的陣營中，增加一位健將了。

畸形發展的中國，教育不普及，人民的知識簡單，而婦女尤甚，只要家而不顧國。大難當頭，應踴躍赴前線殺敵，而婦女們阻礙其夫或其子之偉志。希望你將無知識的婦女組織起來，宣傳和教育她們，使伊等知道「皮之不存，毛將附焉？」「國之不存家何在？」使她們不致含淚終日，倚門遙望前線上的夫、子早日歸來呢！（望勝利歸來）

惠，最親愛的人，你是婦女中的先進者，對於我這次的外出，請不要依戀，要知道你愛人的走，不是故意地拋棄你，而是為著革命，為看獨立自由幸福的新中國而努力奮鬥的啊！

家庭經濟之困難，生活之痛苦，我是深知的。要革命成功，須經過困難艱苦的階段，當此環境中是要立定腳跟，具堅強之意志，任何之外誘，不可動搖的，「國危見忠臣」，在困難中鍛煉成真正的革命者啊！

富貴反多憂，錢是要人用，不要給錢用了人，在此抗戰時，多少富翁成寒士，由此看來，金錢不足恃也。對於窮人要客氣，要同情他；對富人也要與對普通人一樣；對於守財奴，少與之來往，因為他只認錢，不認人，這些人不要看起他，但與之面子往來而已。

惠呵，我們要認清時代，當此革命時期，家庭衣食可維持就夠了不要有其他念頭，要知道整千整萬的難民，千百萬的勞苦大眾，生活是多麼的痛苦呵！人生是要作偉大事業，而不是做了金錢的奴隸呵！太看重金錢的人是最污髒的，不要與之往來。

愛人呵，你在無事的時候，多多閱讀書報，可使你知識進步，多多想工作的方法，切不要空想，也不要太掛念在外的我，勞神傷身，於事無益。好好教養二個小孩，切忌打罵。處家事，對外人，言語態度等事，可參考我的日記和通信，要切實地做，不然我的心思枉費了。請你真正地做吧，否則，太對不起在外的人呢！

最親愛的人，你不要太念我，你的厚情我是知道的，我不是個薄情的人，請你放心，決不辜負你的熱情呵！

在外的我，身體自知珍重，一切當知留心，請你安心在鄉努力婦女解放的事業，成為女英雄，我在外對革命之偉業亦更加努力呵！別了！

別了！

此致敬禮

〔民國〕廿八年十一月廿八日

群　於舒百❶

註釋

❶ 舒百，指安徽舒城百神廟。

家書二封

徐前

一

采疇君：附在我姊夫函中之件悉。

你是我姊夫的好朋友，也就是我姊姊的好朋友，間接的（地）也就是我的朋友。你願我是你純摯的友朋，當然我也希望你是我純摯的朋友。

據姊夫來函云，貴校功課很忙，希望你能在忙中抽閒，多多的（地）給我指教。再談。祝

安好。

淑娟手泐

三·廿九

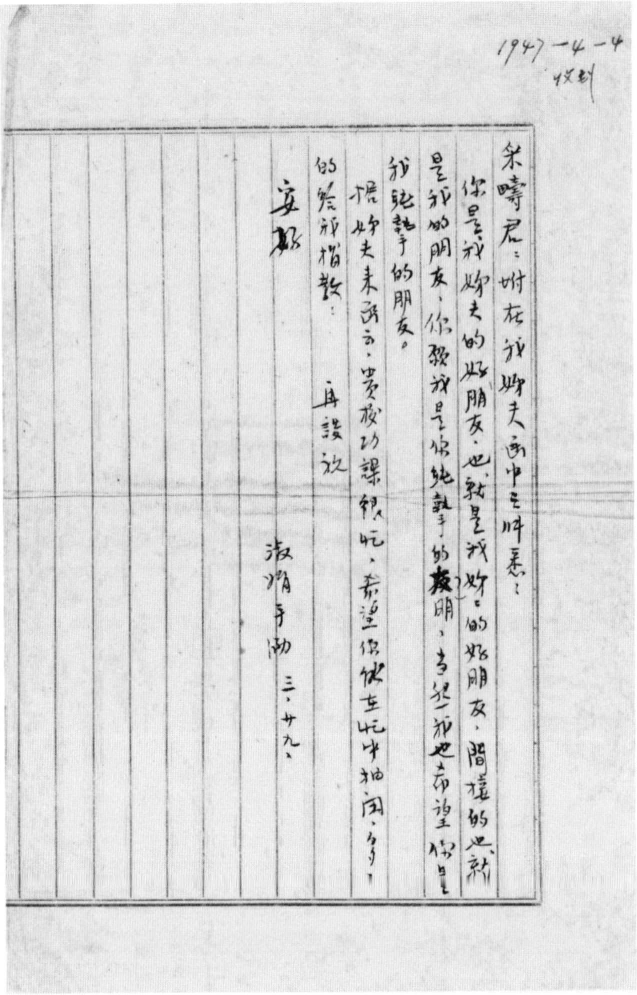
1947-4-4
收到

宋晞君：：附在我姊夫函中之件悉：：
你是我姊夫的好朋友，也就是我姊姊的好朋友，間接的也就是我的朋友，你說我是你純摯的友朋，當然我也希望你是我純摯的朋友。
据姊夫來函云，貴校功課很忙，希望你能在忙中抽閒，多多的給我指教：
再談敘
安好
淑娟手泐 三，廿九，

1 1947 年，21 歲的母親寫給父親的第一封信。母親未嫁時受舊戲文影響，一心想找個窮書生，勤奮聰明，不依靠家裡。故鎮上有錢人家來說媒時她都不願意。父親恰好是這樣的書生，家裡破敗極了，靠自己拿獎學金上大學。所以當二姨夫將父親介紹給她時，她回了這封信，婉轉而又落落大方地表達了願意交往的意思。這封信將父親徹底征服。—— 龚山山

二

繼續講螃蟹的故事給你聽。

第二天一早，我發現那隻小杯子橫倒了。心裡一愁：逃了嗎？真是逃了。我誠惶誠恐地把這消息告訴兩位小姐。大的把眼睛富有表情地一翻一白，攤開兩隻手，「啊呀！」一聲表示很惋惜。實際上不很在乎。可是老小卻把手放在背後大興問罪之師：媽媽，你為什麼不看牢？媽媽睡覺了，怎麼看得住呢？那你為什麼不先看牢再睡覺呢？你要不要睡？你要睡，媽媽也要睡呀！格末，你是大人呀，大人要先做事再睡覺！好厲害，迫得我無話可答。

昨天我休息，幼兒園不放假，我進城處理一些事務，傍晚請她們回家玩兒。小白樺來和我談時事。「媽媽，丁阿姨講，壞蛋過幾天要打到我們這裡來了。」「你怕嗎？」「不怕。我叫爸爸去打壞蛋，爸爸是解放軍。還叫范家大哥哥也去打。范家大哥哥去年參軍了，穿著一件新衣服，范家媽媽陪他去的。」這小傢伙真有兩下。范家的大孩子是去年參軍的，記得嗎？那時你也在杭州。這事我從未和孩子談過，可是她卻看在眼裡，記在肚裡了。……范家小兒子問她報了名沒有？「怎麼可以不報名呢？下半年沒得書讀。我們都先報名的。」一回家就找那些小哥哥談論唸書的事了。

〔一九六二年〕七月二日

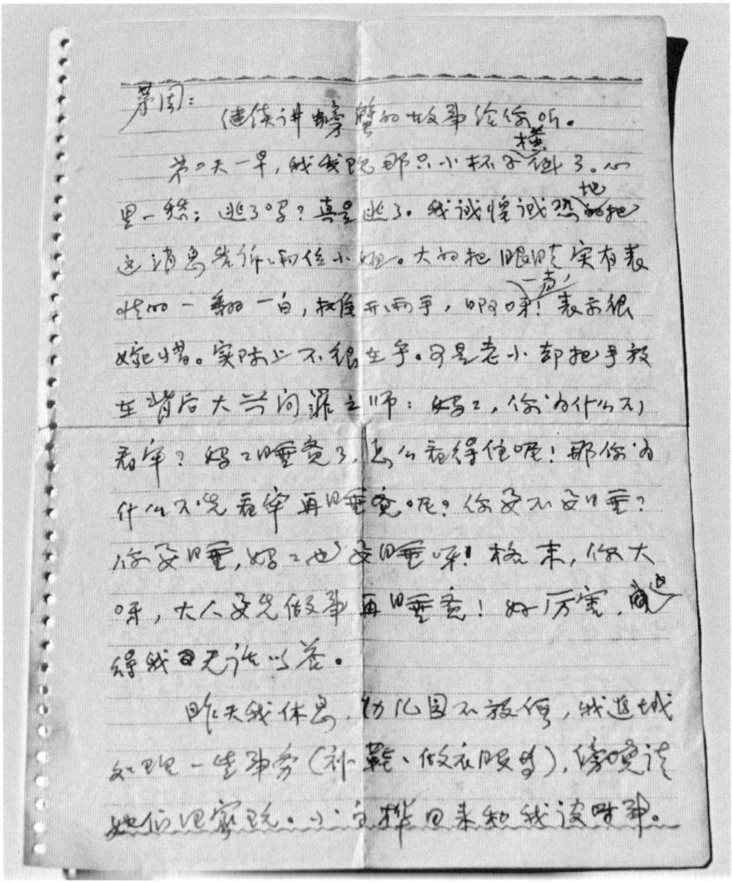

2 大約是1962年，母親寫給父親的信。1961年母親結束了三年的「勞動改造」，作為「摘帽右派」回到報社，也將我從鄉下接回到身邊。父親那時遠在福建修鐵路，母親一邊工作，一邊獨自撫養我和姐姐，還時常寫信給父親講兩個孩子的情況。這封信和另一封，都寫得生動有趣，父親費盡心思保留下來。我上大學時他寄給了我。—— 裘山山

燒掉的情書，今天補給你好嗎？

張慶和

總是想著念著出門就惦著的我的老婆劉偉閣下：

我從部隊轉業到地方工作，結束了我們三年「寫戀愛」和九年的牛郎織女生活以後，一晃三十多年沒給你寫過信了。

還記得嗎，那時候我在荒無人煙的青海高原守衛核基地，你在北京大都市盼星星盼月亮般盼著有一天我會童話般突然出現在你面前……由於工作需要，我從第一次見到你的那次探親，到第二次探親再見到你，中間整整隔了兩年半時間！兩年半，對於兩個處於熱戀中的年輕人來說可不是個小日子呀！那日子裡有思有盼，有莫名其妙生成的一種心緒經常來騷擾我們。

那時候，交通很不方便，從北京到青海高原一封信至少要一週。於是，我們便不約而同地設定：每週都要給對方寫一封信。寫信、讀信、盼信，幾乎就成了我們戀愛過程的全部。

有一次，因為一位淘氣的戰友藏起了你的來信，我沒按時讀到，心裡那個惶惶呀！因為此前我倆畢竟只有十幾分鐘的見面時間，況且，那只是「無意識」「無目的」的匆匆一瞭，甚至連彼此的模樣膚色都沒能仔細瞅瞅。（還記得後來我曾對你說過的話嗎，當時要是知道我們能戀愛能結婚，那初次相見的十幾分鐘無論如何都不會把它浪費掉的。）我的許多戰友都說我們的戀愛太沒基礎，不可能成功；你的同事也說北京有那麼多男青年不找，為什麼非要去找個幾千里外的軍人？很多人都不理解。還記得我寄給你三張紙上的那三個大問號嗎，那問號就是在那種疑慮和質疑中寫下的。好在半月後那戰友把信還給了我，我很為自己的莽撞悔恨，立即給你寫信道歉。隨後我的領導張天郁主任也替我解釋，給你寫了信。

感謝你原諒了我，不然今天我就沒有資格給你寫這封信了。當說起這段經歷時，女兒曾不解地問：為什麼不打個電話親自解釋一下呢？她們這一代哪裡知道，那時候的電話可是個稀有物件呢，況且，軍隊的電話是不允許與地方連線的。

想想真可惜，我們不約而同精心保存了那麼多年的厚厚兩大摞信，為什麼團聚之後就銷毀了呢？那個年代談戀愛有點害羞，記得我休假期間，我倆一起去公園去逛街，臨出院門口時都不敢一起走，生怕熟人碰見，要一前一後出門，大老遠了才肯挨得近些。

或許是我們單純的「信戀」和分離的生活使然吧，後來我由寫信而愛上了詩歌，而且寫了不少愛情詩，很多詩都是緣你而生。詩很幼稚，但幾乎每一首都先寄給你看。《我身旁流著一條小溪》《鎖鏈》《就因為有那樣一種心情》《月路》《守望》《燈》《你來了》《我的妻子》等等，都是在你的激勵下出籠的。

每當靜心回想，都深深地感到你對我、對我們這個家的付出太大、太多了，很是感激你，有些事也真是很對不起你。

1 張慶和剛剛入伍時獨照

你第一次去部隊探親，懷孕了。當時我們部隊已調防到遼寧。我是一個粗線條、不太懂生活的人，看你吃不下飯，嘔吐，以為是吃不慣那裡的高粱米，還笑你不能過艱苦生活，竟然不知道你是懷孕的反應，對你沒給一點特殊關照。女兒一歲多時，你帶她去部隊看我。孩子太小，無法與戰士吃一樣的飯。你就用一個很小的酒精燒瓶天天給女兒做粥。一次，酒精竟噴出燒傷了你的左手，滿手都是血泡，整整一個多月才好。

一九八三年初冬時節，我回北京探親，當你聽說我從來都沒給自己過生日後，你非要為我張羅過生日。那一天，你從早晨一上班就唸叨為我過生日的事：下班路上要買熟食買菜，還想買瓶啤酒。也真是不巧，你本來是車間的統計員，因為活兒多，車間主任硬要你也上機器釘紙箱。你技術生疏，再加上心裡有事，不小心被釘箱機砸斷了右手食指。那天，我和媽媽、剛上小學的女兒一直等著你回家給我過生日。左等右等，一直到晚上七點半你才回來。同進家門的，還有護送你的兩位同事。看到你的傷情，媽媽心疼得流淚了，女兒也哭了，我心裡更甭提有多難受。

那時候，我在部隊過集體生活，什麼都不用操心。可你在家就不同了，上有老下有小，一個人操心持家，什麼都得想到做到，真是不容易呀。那時候家裡做飯用的是液化氣罐，每次換氣都是件很愁人的事。別人家可隨時更換，可我們家就不同了，要盡量節省著用，有時一罐氣要用小兩個月，不是怕浪費，而是發愁扛著氣罐上樓下樓，再走上大老遠的路，換一次氣太困難。

想說的還有很多很多，比如有時候我還莫名其妙地發點小脾氣，幹家務活有點粗糙，常常摔壞碗碟、弄壞點什麼東西。當再遇到這種情況時，您老人家要多多包涵，可不要真生氣呦。舊的不去，新的不來，摔壞了咱們再買一個，這樣還促進消費，為GDP還做了貢獻呢。您說是嗎？

今天是元宵節了，窗外難得的月明如鏡。藉著情人節的到來，咱們也追追時髦，給我親愛的老婆大人寫一封信，以尋找當年我們「寫戀愛」的那種美好感覺。

最後，請允許我向常年忙碌著辛苦著勞累著為看護我們可愛的外孫「團團」又做出傑出貢獻的您——鞠躬致敬！

你的老老公：慶和

二〇一七年二月十一日

那樣的溝通我們都有過

華靜

給親愛的你：

下雪了。是今年冬天京城的第一場雪。只是，你和孩子不在我的身邊。這雪不涼，且有溫情的味道。

我倘徉在雪地裡，那被第一場冬雪覆蓋的一樹紅梅深情地拽住了我的目光。想當初的一天，我們在家鄉的公園裡曾和雪中紅梅合過影。在這繁華的都市裡，我想把這些靈動的生命以及她們的神韻寄給你。

因為，我記得你的視線，曾經久久凝視於紅梅的主題。

你說你喜歡紅梅那種清純嫻靜的美，喜歡她質樸得了無痕跡的清雅香味。你還把我比喻成梅，喜歡等候我寫的信，你說你喜歡聽我默默述說一種心思。

雪飄著。寒風裡，我和你的等待並不是遙遙無期，我們會用相互思念縮短地域的距離。還有一年，我們將會在同一個城市工作、生活，我們彼此的心思都寫在了日記裡。總設想團聚的那一天，我該穿什麼樣的衣服，該帶什麼樣的圍巾，該給你準備什麼樣的飯菜，我如何做才能烘托出一幅和諧溫暖的畫面？這是我的心願。

我寫信的此刻，你在做什麼？山東也下雪了嗎？

我這裡工作節奏很快，也很忙。創刊期間的所有細節都不能忽略。你知道嗎？趕稿子的時候，不會想你想家想孩子。只有忙完了版面上的所有工作，同事們都回家之後，我才會在集體宿舍裡給家裡人寫信。當然，我也利用這個時間看書，以前沒有時間看的書我現在都看過了。上週末，我去團結湖書店又買回幾本書。是穿著你給我買的那雙橙色長靴去的，那是我上次回山東老家時你特意買的。因為我當時穿了一件湖藍色的長呢子大衣，腳上穿的卻是一雙黑色皮鞋。你說搭配得不好看，你還說可能我的腳有問題，無論多好的鞋穿在我的腳上，就好似都會在一週之內崴掉鞋跟。所以，你說必須買一雙質量特別好、款式特別好的鞋給我。我今天穿的就是那雙鞋。你聽了，開心吧？我依然感覺很溫暖。一雙鞋，其實代表了你就在我的身邊，讓我更嚮往來自家的關懷。

謝謝你，親愛的。我不在家的日子，你要照顧老人和孩子，辛苦了。但是，你也應該感到溫暖，因為你經常有我文字的問候，有我愛心的注目。

我知道你沒有時間經常寫信給我，你也不善於表達。但我有你不定時的電話問候，有你偶爾隻言片語的信箋就很知足了。我知道你和孩子會期待我的來信，所以我堅持寫信。你數數，這是第幾封信了？

昨天我去採訪，回來的路上看到許多人都在買大白菜。我當時就想，如果你在，我們也排在那些人的身後，然後回家包白菜餡的餃子吃多好。我現在吃食堂，沒有機會做飯，也就沒有機會展示自己的廚藝，想念做飯的快樂。一年後，我們一家人團聚後，我要買最漂亮的餐具，做一大桌子美食，期待著那一天的到來。

我不在家，你說你的廚藝大長。上次回家時我們忙著走親訪友，吃早飯時，印象最深的是你炒的雞蛋最好吃。說歸說，我知道，我不在家，你又帶孩子又照顧老人，能夠按時吃飯就很不容易了。

就在這個雪天，我開始想你，想孩子，恨不得飛一般地回到家裡。

在雪花飄舞的氛圍裡，天空與你我之間凝成了一個寓言。尋找那寓言中的情節和畫面，偶爾就想到了我們更多的家人和說不完的話題。嘴裡說著，臉上笑著，眼睛望著，心裡想著，含蓄的清新，總是讓人顧盼流連。

凝望著雪花，我們看到了彼此的心願。思和念，只在紙上和筆間復活。純純的感覺，有著更多的文字情深。無法與你每天共處，卻擁抱著你的叮囑纏綿不已。我喜歡被你呵護的每一段記憶。

即便，在人聲鼎沸、車流不斷的路途上，想起你，我都會笑在心裡。所以，我喜歡在這小雪的季節裡，把情感砸在紙面上郵給你。

你知道嗎，雪天在我眼裡，為什麼有一片最真摯最樸素最溫情的天地，那是因為我想到了你，想到是在寫一封給你的信。

兩月前我寄給你的那一張卡片，是我精心選擇的色彩。是藍色的，像海，能把所有的掛牽吞噬。在這整個下午，你和卡片上的畫面在一起。我們，住在彼此心裡是最溫暖的地方。

窗外的雪花還在飄，我用最溫柔的情懷迎接著她。心，也好像輕輕地飄浮起來了。隔著窗戶的那層玻璃，讓我們相互守望。

我願意就這樣緩緩地和你在信紙上聊天，遙遙相望時，心心相印。

我們擺脫不了生活中柴米油鹽的困擾和人際關係相互傾軋的煩惱，但是，我們因為彼此相愛而有了力量。此刻，我緊抱著抱不住的雪花，想你。

你看到雪地綻放的梅花了嗎？那是我的笑容。

沒有秘密，我們的故事寫在心裡和臉上，那種甜蜜的清爽挾帶著一種芬芳，在灰濛濛的凡塵裡，洋溢著溫馨的一種向心力。

一念溫情，一紙心思，柔軟了平凡的生活。

知道嗎，想到團聚，我竟會在漫天雪花中看到屬於我們的碧海藍天。

為愛書寫，看見愛。你還記得外婆說的那句話嗎：「天寒到了極點，就立春了。」

忙到什麼都不想，其實更想。期待著，一年後，我們的團聚。

一九九五年十一月雪日於京城

近在咫尺不能相見的愛情

曾劍

小華：

你好！今天是臘月二十九，又是情人節，老天善解人意，飄起雪花，豐盈又浪漫。

我準備進城，城裡有你，有我的家。可是，就在我收拾行裝的時候，通信員把節日戰備值班表遞到我眼前，我值班三天，時間從今天至大年初二。

我呆立宿舍，遙望窗外。小華，看來我要對你說聲對不起了，儘管這樣的話，我不止一次對你說。但我想，你是理解的。「你不扛槍我不扛槍，誰來保衛祖國誰來保衛家」，這樣的軍歌我們聽過；「一人辛苦萬人甜，一家不圓萬家圓」，這樣的句子我們讀過。可我想說的不是這些大道理，我只想告訴你，我是一個軍人，服從是我的天職，我別無選擇。

小華，我愧疚。結婚一年多，雖然同在一個地區，我們野戰部隊管得嚴，基層已婚軍官，隔一週休一個週末，也就是說，我半個月才回一次家。遇到戰備，或特殊任務，就只能等到下半個月，這是常態。作為軍人，我習慣了，可是，作為軍人妻子，你顯然不習慣，只是你不說，你在獨自承受，你在努力地讓自己去習慣。

小華，等我吧，等戰備值班結束，我再回家。當然，我沒忘記鮮花的事。那天，你對我說，沒收到過鮮花的女人，不是真正的女人。我不知道這是哪位名人的名言，還是你內心所想。既然你說了，我就送你鮮花吧。我當即就要去買，可你說，要一個特別的日子，比如情人節，你說那樣更浪漫。你說，我們軍人太死板。

其實，我們軍人也懂浪漫，只是常常身不由己。這不，情人節來了，新年的鐘聲又快敲響，雪在飄，在這樣的時日，這樣的天地，給你送上一束紅玫瑰，何等浪漫，可誰知，輪到我值班。我想過找人替，或與人換班，可誰不想回家同老人孩子熱乎乎地過年？誰不想與親人相會，尤其是年輕的未婚軍官，能否在這一天去城裡，給熱戀中的未婚妻送一束鮮花，或許是決定這段姻緣的成敗。

我獨自坐在窗前，守著值班電話。窗外的世界真美，雪下白了大地，還在紛紛揚揚地下著。我思緒翻飛，如同窗外的雪花。自古鮮花配美女。小華，在別人的眼中，你也許算不上美女，但在我心中，你就是一朵艷麗的玫瑰。等我吧，等到戰備值班結束，我一定手捧最新鮮的帶著露珠的玫瑰，親自送到你手中。不，這還不夠，我要在雪地裡，給你朗誦愛爾蘭詩人葉芝的詩：《當你老了》。我要對你說：現在，我愛你青春歡暢的時辰；將來，我愛你衰老了的臉上痛苦的皺紋……

此致

軍禮！

你的劍

一九九九年二月十四日